23/50

Die Fünf »Ti

D1649525

Hausmitteilung für »Tibeter«-Entdecker

Die Verfasser und Herausgeber dieses Buches sind keine Mediziner und können insofern auch keinen ärztlichen Rat geben. Die mitgeteilten Gedanken, Methoden und Anregungen bieten keinesfalls Ersatz für das beratende Gespräch mit Personen, die zur Ausübung von Heilberufen zugelassen sind. Jede Leserin, jeder Leser soll auch weiterhin für das eigene Tun und Lassen selbst verantwortlich sein. Eine Haftung für etwaige Personen-, Sach- oder Vermögensschäden ist insofern ausgeschlossen.

Vor den Erfolg haben die Götter die Achtsamkeit gesetzt.

Das Versprechen, das Ihnen die Fünf »Tibeter« geben, ist kein geringes: Zugang zu Ihrer ungenutzten Lebensenergie und Wohl-Sein mit Körper, Geist und Seele. In Wahrheit geben Sie sich das Versprechen selbst – und nur Sie selbst können es einlösen!

Gönnen Sie sich also etwas: Geben Sie sich Spielraum und genügend Zeit – und die Freude der kleinen Schritte. (Die großen Schritte sind ohnehin nicht «machbar», vielmehr ein bewußtes Geschehenlassen.) Tatsächlich wird nur so die wohltuende Wirkung schnell – auch wenn dies widersprüchlich erscheint – und nachhaltig erreicht.

*Um dieses kleine Übungsprogramm solide aufzubauen, ist es wichtig, jede Übung **zunächst nur dreimal** auszuführen, und das möglichst jeden Tag, ein bis zwei Wochen lang. Dabei entwickeln Sie ein neues Körperbewußtsein und fangen an, **wirklich achtsam mit Ihrem Körper umzugehen** und auf seine Signale zu hören (wann haben Sie das zuletzt getan?). Schließlich, wenn sich **das tiefe Atmen und das leichte Üben** genau so anfühlt: leicht und tief, fügen Sie nach und nach jeweils zwei Wiederholungen hinzu. Dies alles ist im Folgenden gründlich beschrieben. Niemand muß 21mal jede Übung ausführen, und auch die Tageszeit, zu der die Fünf »Tibeter« ausgeübt werden, sollte ganz dem persönlichen Rhythmus entsprechen.*

Menschen mit Rückenproblemen und Schwangeren kann eine kompetente Beratung helfen, die Fünf »Tibeter« zu ihrem Besten zu nutzen. Wer sich nicht ganz gesund fühlt, sollte vor Übungsbeginn besser noch den Arzt aufsuchen.

Peter Kelder

Die Fünf »Tibeter«®

Das alte Geheimnis aus den Hochtälern des Himalaja läßt Sie Berge versetzen

Aus dem Englischen
von *Christopher Baker*

Scherz

Die Originalausgabe erschien unter dem Titel «Ancient Secret of the Fountain of Youth, Book 1» bei Harbor Press, Gig Harbor, Washington.

www.fischerverlage.de

12. Auflage der revidierten Neuausgabe 2007
Erschienen bei Scherz, ein Verlag der S. Fischer Verlag GmbH, Frankfurt am Main
© 1997 by Harbor Press, Inc.
Published by arrangement with Harbor Press, Gig Harbor, Washington, USA
© S. Fischer Verlag GmbH, Frankfurt am Main 1999/2007
Das Werk einschließlich aller seiner Teile ist urheberrechtlich geschützt.
Name und Begriff *Die Fünf »Tibeter«* sind darüber hinaus auch wettbewerbsrechtlich geschützt.
Einbandgestaltung: Zembsch' Werkstatt, München,
unter Verwendung eines Fotos von Helga Belohlawek, München
Der Verlag dankt dem SPIEGEL für die Genehmigung zum Abdruck
eines Teils der Titelgeschichte aus Nr. 23 vom 3. Juni 1991 (S. 78).
Satz: Vollnhals, Neustadt/Donau
Druck und Bindung: Ebner & Spiegel, Ulm
Printed in Germany

ISBN 978-3-502-25035-7

INHALT

DAS ALTE GEHEIMNIS DER «QUELLE DER JUGEND»

Erster Teil

Schangri-La? Der Horizont hinter dem Horizont 9

Die fünf Energie-Riten 18

Fragen und Antworten 31

Zweiter Teil

Fortschritte im Himalaja-Klub 37

Der sechste Ritus 40

Dritter Teil

Vitalität und Ernährung 45

Vierter Teil

Die Energie der Stimme 51

Das Wunder wirkt weiter 54

Fünfter Teil: Das verlorene Kapitel

Die Magie des heiligen Klangs 59

Der siebte Ritus 64

DAS GEHEIMNIS, DAS SIE BERGE VERSETZEN LÄSST

Auszüge aus Leserbriefen – ein Querschnitt *71*

Die Fünf »Tibeter« im Spiegel der Medien *76*

Die Fünf »Tibeter« richtig üben *79*

DER FÜNF-»TIBETER«-SERVICETEIL

Der »Tibeter«-Dachverband *97*

Aktuelles Verzeichnis der TrainerInnen *101*

Die Trainer-AusbilderInnen *111*

Literaturempfehlungen *115*

Die Fünf »Tibeter« für alle Sinne *121*

DAS ALTE GEHEIMNIS
DER «QUELLE DER JUGEND»

ERSTER TEIL

Jeder Mensch wünscht sich ein langes Leben.
Aber kein Mensch möchte alt sein.
Jonathan Swift

Schangri-La?
Der Horizont hinter dem Horizont

Vor einigen Jahren saß ich eines Nachmittags im Park und las meine Zeitung, als ein älterer Herr auf mich zukam und sich neben mich setzte. Er schien auf die Siebzig zuzugehen, sein Haar war grau und spärlich, seine Schultern waren gebeugt, und er lehnte sich beim Gehen auf einen Spazierstock. Wie hätte ich wissen können, daß dieser Augenblick den Verlauf meines Lebens für immer ändern würde.

Es dauerte nicht lange, und wir waren in ein angeregtes Gespräch verwickelt. Es stellte sich heraus, daß der alte Herr ein pensionierter Offizier der Britischen Armee war, der der Krone auch im Diplomatischen Corps gedient hatte. Als Folge davon hatte er im Laufe der Zeit praktisch jeden Winkel der Welt bereist. Und Colonel Bradford – ich werde ihn so nennen, obwohl das nicht sein richtiger Name ist – fesselte mich mit höchst unterhaltsamen Erzählungen von seinen Abenteuern.

Als wir uns trennten, verabredeten wir ein Wiedersehen, und schon nach kurzer Zeit hatte sich eine engere Freundschaft zwischen uns entwickelt. Wir trafen uns häufig, in seiner Wohnung oder in meiner, und führten Diskussionen und Gespräche, die bis tief in die Nacht dauerten.

Bei einer dieser Gelegenheiten wurde mir klar, daß es etwas von Bedeutung gab, worüber Colonel Bradford sprechen wollte, aus irgendeinem Grund jedoch zögerte. Ich versuchte ihm taktvoll diese Befangenheit zu nehmen, indem ich ihm versicherte, daß ich, falls er mir erzählen wollte, was ihn beschäftigte, dies mit strenger Vertraulichkeit behandeln würde. Langsam zunächst, doch dann mit zunehmendem Vertrauen, begann er zu sprechen.

Als er einige Jahre zuvor in Indien stationiert war, war Colonel Bradford von Zeit zu Zeit mit herumziehenden Einheimischen aus entlegenen Gegenden des Landesinneren in Verbindung gekommen und hatte viele fesselnde Geschichten über ihr Leben und ihre Bräuche gehört. Eine seltsame Geschichte, die sein besonderes Interesse weckte, hörte er ziemlich häufig, und immer von den Bewohnern eines bestimmten Landstrichs. Die Bewohner anderer Teile des Landes schienen nie davon gehört zu haben.

Die Geschichte betraf eine Gruppe von Lamas, tibetischen Mönchen, die der Geschichte zufolge das Geheimnis der ewigen Jugend entdeckt hatten. Über die Jahrtausende war das außerordentliche Geheimnis von den Mitgliedern dieser mystischen Vereinigung übermittelt worden. Zwar gaben sie sich keinerlei Mühe es geheimzuhalten, doch war ihr Kloster so abgelegen und isoliert, daß sie praktisch von der Außenwelt abgeschlossen waren. Aus diesem Grund war bisher nichts von ihrem Wissen an die Außenwelt gedrungen.

Dieses Kloster und seine «Quelle der Jugend» war für die Einheimischen, die davon erzählten, zu einer Art Legende geworden. Sie erzählten von alten Männern, die auf geheimnisvolle Weise ihre Gesundheit, Kraft und Vitalität zurückgewannen, nachdem sie das Kloster gefunden hatten und eingetreten waren. Aber niemand schien die genaue Lage dieses seltsamen und wunderbaren Ortes zu kennen.

Wie so viele andere Männer hatte auch Colonel Bradford im Alter von 40 Jahren begonnen, alt zu werden, und das ließ sich offenbar nicht aufhalten.

Je mehr er von dieser wunderbaren «Quelle der Jugend» hörte, desto mehr gelangte er zu der Überzeugung, daß solch ein Ort tatsächlich existierte. Er begann Informationen zu sammeln: Richtungsangaben, die Art der Landschaft, das Klima und andere Daten, die ihm helfen konnten, den Ort ausfindig zu machen. Und sobald Colonel Bradford seine Nachforschungen begonnen hatte, wurde er in zunehmendem Maß von dem Wunsch besessen, diese «Quelle der Jugend» zu finden.

Der Wunsch, so erzählte er mir, war so unwiderstehlich geworden, daß er sich entschlossen hatte, nach Indien zurückzukehren und ernsthaft nach diesem Zufluchtsort und seinem Geheimnis ewiger Jugend zu suchen. Und er fragte mich, ob ich mich seiner Suche anschließen wolle.

Normalerweise wäre ich der Erste, der auf eine so unwahrscheinliche Geschichte skeptisch reagierte. Aber der Colonel meinte es völlig ernst. Und je mehr er mir von dieser «Quelle der Jugend» erzählte, desto mehr kam ich zu der Überzeugung, daß etwas Wahres daran sein könnte. Eine Weile überlegte ich mir ernsthaft, mich der Suche des Colonels anzuschließen. Aber als ich anfing, praktische Gegebenheiten in meine Überlegungen einzubeziehen, gewann die Vernunft die Oberhand, und ich entschied mich dagegen.

Schon kurz nachdem der Colonel abgereist war, kamen mir Zweifel, ob ich die richtige Entscheidung getroffen hatte. Um meinen Entschluß zu rechtfertigen, sagte ich mir, daß es vielleicht töricht sei, das Altern besiegen zu wollen. Vielleicht sollten wir uns alle einfach damit abfinden, in Anmut und Würde alt zu werden und vom Leben nicht mehr zu verlangen als andere auch.

Aber dennoch spukte irgendwo in meinem Kopf weiterhin die *Möglichkeit*: eine «Quelle der Jugend». Welch aufregender Gedanke! Um seinetwillen hoffte ich, daß der Colonel sie finden würde.

Jahre vergingen, und in der Hektik des Alltags verschwand Colonel Bradford und sein «Schangri-La» schließlich auch aus meiner Erinnerung. Dann, als ich eines Abends in meine Wohnung zurückkam, fand ich einen Brief in der Handschrift des Colonels. Ich öffnete ihn schnell und las eine Nachricht, die anscheinend in freudiger Erregung geschrieben worden war. Der Colonel teilte mir mit, daß er trotz frustrierender Verzögerungen und Rückschläge glaube, jetzt unmittelbar vor der Entdeckung der «Quelle» zu stehen. Er gab keinen Absender an, doch ich war erleichtert, wenigstens zu wissen, daß er noch am Leben war.

Viele Monate sollten vergehen, bevor ich wieder etwas von ihm hörte. Als endlich ein zweiter Brief eintraf, zitterten meine Hände, als ich ihn öffnete. Im ersten Moment konnte ich seinen Inhalt nicht glauben. Die Neuigkeiten waren besser, als ich auch nur hätte hoffen können. Der Colonel hatte die «Quelle der Jugend» nicht nur gefunden, sondern wollte sie sogar von seiner Reise mit zurückbringen und irgendwann im Lauf der nächsten zwei Monate bei mir eintreffen.

Vier Jahre war es jetzt her, seit ich meinen alten Freund zuletzt gesehen hatte. Und ich begann mich zu fragen, wie er sich in dieser Zeitspanne wohl verändert haben könnte. Hatte diese «Quelle der Jugend» ihn befähigt, die Uhr des fortschreitenden Alters anzuhalten? Würde er so aussehen wie damals, als ich ihn zum letzten Mal sah, oder würde er nur ein Jahr älter erscheinen anstatt vier?

Schließlich kam die Gelegenheit, diese Fragen zu beantworten. Als ich eines Abends allein zu Hause war, klingelte überraschend das Haustelefon. Als ich abnahm, meldete der Portier: «Ein Colonel Bradford ist hier, um Sie zu besuchen». Eine Welle der Erregung überkam mich, als ich sagte: «Schicken Sie ihn gleich herauf.»

Kurz danach klingelte es, und ich riß die Türe auf. Aber zu meiner Enttäuschung sah ich vor mir nicht Colonel Bradford, sondern einen fremden, viel jüngeren Mann. Meine Überraschung bemerkend, sagte der Mann: «Haben Sie mich denn nicht erwartet?»

«Ich dachte, es wäre jemand anders», antwortete ich ein bißchen verwirrt.

«Ich dachte, ich würde mit mehr Begeisterung empfangen werden», sagte der Besucher mit freundlicher Stimme. «Schauen Sie mein Gesicht genau an. Muß ich mich wirklich vorstellen?»

Meine Verwirrung verwandelte sich zunächst in Verblüffung und dann in ungläubiges Staunen, als ich die Gestalt vor mir anstarrte. Langsam stellte ich fest, daß ihre Züge tatsächlich denen von Colonel Bradford ähnelten. Aber dieser Mann sah aus, wie der Colonel vor Jahren ausgesehen haben mochte – in seinem besten Alter. Anstelle eines gebeugten, bläßlichen alten Mannes mit einem Stock sah ich eine große, aufrechte Gestalt.

Sein Gesicht strahlte Gesundheit aus, und er hatte dichtes, dunkles Haar mit kaum einer Spur von Grau.

«Ich bin es wirklich», sagte der Colonel, «und wenn Sie mich nicht hineinbitten, muß ich annehmen, daß Sie sich schlechte Manieren zugelegt haben.»

In freudiger Erleichterung umarmte ich den Colonel, und unfähig, meine Aufregung im Zaum zu halten, führte ich ihn unter einem Schwall von Fragen herein.

«Warten Sie, warten Sie», protestierte er gutmütig. «Kommen Sie erst wieder zu Atem, und dann erzähle ich Ihnen alles, was passiert ist.» Und das tat er.

In Indien angekommen, war der Colonel sofort in Richtung tibetische Grenze aufgebrochen und hatte nach der Gegend gesucht, in der sich die berühmte Quelle ewiger Jugend angeblich befinden sollte. Zum Glück war er mit der Sprache dieses Landesteils einigermaßen vertraut, und er verbrachte viele Monate damit, Verbindungen herzustellen und sich mit Leuten anzufreunden. Viele weitere Monate war er damit beschäftigt, die Teile des Puzzles zusammenzusetzen. Es war ein zeitaufwendiger, mühseliger Prozeß, aber seine Hartnäckigkeit brachte ihm schließlich den ersehnten Lohn. Nach einer langen und gefährlichen Expedition in die unerschlossenen Gebiete des Himalaja fand er schließlich das Kloster, das, der Legende zufolge, das Geheimnis ewiger Jugend und Verjüngung besaß.

Ich wünschte, daß Zeit und Platz mir erlauben würden, all die Dinge zu berichten, die Colonel Bradford erlebte, nachdem er in das Kloster aufgenommen worden war. Vielleicht ist es auch besser, daß ich dies nicht tue, denn vieles davon klingt mehr wie Fantasie als Tatsache. Die interessante Lebensweise der Lamas, ihre Kultur und ihre völlige Losgelöstheit von der Außenwelt sind für westliche Menschen schwer zu begreifen und zu verstehen.

In dem Kloster waren nirgendwo ältere Männer und Frauen zu sehen. Die Lamas nannten den Colonel gutmütig «den Greis», denn seit langem hatten sie niemanden gesehen, der so alt aussah wie er. Er war für sie ein höchst ungewöhnlicher Anblick.

«In den ersten beiden Wochen nach meiner Ankunft fühlte ich mich wie ein Fisch auf dem Trockenen. Ich staunte über alles, was ich sah, und manchmal konnte ich kaum glauben, was ich vor Augen hatte. Bald begann meine Gesundheit besser zu werden. Ich konnte nachts tief und fest schlafen, und beim Aufwachen fühlte ich mich jeden Morgen erfrischter und tatkräftiger. Es dauerte nicht lange, da stellte ich fest, daß ich meinen Stock nur noch brauchte, wenn ich in den Bergen herumwanderte.

Eines Morgens etwa drei Monate nach meiner Ankunft erlebte ich die größte Überraschung meines Lebens. Ich hatte zum ersten Mal einen großen, wohlgeordneten Raum des Klosters betreten, der als eine Art Bibliothek für alte Manuskripte benutzt wurde. An einem Ende des Raums befand sich ein bis zum Boden reichender Spiegel. Da ich während der beiden vergangenen Jahre ständig in dieser abgelegenen und primitiven Gegend umhergereist war, hatte ich während der ganzen Zeit nie mein Spiegelbild gesehen. So trat ich jetzt mit einiger Neugier vor das Glas.

Ungläubig starrte ich auf das Bild, das ich vor mir hatte. Meine körperliche Erscheinung hatte sich so drastisch verändert, daß ich volle 15 Jahre jünger aussah. All die Jahre hatte ich gehofft, daß die ‹Quelle der Jugend› wirklich existierte. Jetzt hatte ich den physischen Beweis dafür vor meinen Augen.

Die Freude und Erregung, die ich empfand, sind nicht mit Worten zu beschreiben. In den folgenden Wochen und Monaten verbesserte sich mein Aussehen noch weiter, und die Veränderung wurde für alle, die mich kannten, immer offensichtlicher. Es dauerte nicht lange, bis ich meinen Ehrentitel ‹Der Greis› nicht mehr zu hören bekam.»

An dieser Stelle wurde der Colonel durch ein Klopfen an der Tür unterbrochen. Ich öffnete und ließ ein Paar herein, mit dem ich zwar gut befreundet war, das sich aber keinen ungelegeneren

Zeitpunkt für seinen Besuch hätte aussuchen können. Ich verbarg meine Enttäuschung so gut ich konnte, machte sie mit dem Colonel bekannt, und wir alle plauderten eine Weile miteinander. Dann stand der Colonel auf und sagte: «Es tut mir leid, daß ich schon so früh gehen muß, aber ich habe heute abend noch eine Verpflichtung. Hoffentlich sehe ich Sie alle bald wieder.» Doch an der Tür wandte er sich zu mir und sagte leise: «Könnten Sie morgen mit mir zu Mittag essen? Ich verspreche Ihnen, daß Sie dann alles über die ‹Quelle der Jugend› erfahren werden.»

Wir verabredeten eine Zeit und einen Ort, und dann ging der Colonel. Als ich zu meinen Freunden zurückkehrte, bemerkte der Mann: «Er ist ganz bestimmt ein faszinierender Mann, aber ist er nicht ein bißchen jung für einen pensionierten Offizier?»

«Für wie alt hältst du ihn?» fragte ich.

«Nun, er sieht nicht mal aus wie vierzig», antwortete mein Gegenüber, «aber aus dem Gespräch würde ich schließen, daß er doch mindestens so alt sein muß.»

«Ja, mindestens», sagte ich ausweichend. Und dann lenkte ich das Gespräch auf ein anderes Thema. Ich wollte die unglaubliche Geschichte des Colonels nicht weitererzählen, zumindest nicht, bevor er alles vollständig erklärt hatte.

Am nächsten Tag gingen der Colonel und ich nach dem gemeinsamen Mittagessen in das Zimmer, das er in einem nahegelegenen Hotel bewohnte. Und dort schließlich erzählte er mir alle Einzelheiten über die «Quelle der Jugend».

«Die erste wichtige Sache, die man mich lehrte, nachdem ich in das Kloster eingetreten war», sagte der Colonel, «war dies: Der Körper hat sieben Energiezentren, die man sich als wirbelnde Kraftfelder vorstellen kann. Die Hindus nennen sie *Chakren*. Das sind kraftvolle elektrische Felder, unsichtbar für das Auge, aber nichtsdestoweniger sehr real.

Diese sieben Energiewirbel regieren die sieben Hormondrüsen des endokrinen Systems, die wiederum alle körperlichen Funktionen beeinflussen, darunter auch den Alterungsprozeß.

Der erste Wirbel (Wurzel-Chakra genannt) befindet sich am unteren Ende der Wirbelsäule. Der zweite Wirbel (das Sakral-Chakra) ist im Unterbauch unter dem Bauchnabel zu finden. Der dritte Energiewirbel (das Solarplexus-Chakra) befindet sich über dem Bauchnabel aber unterhalb des Brustkorbes. Der vierte Wirbel (das Herz-Chakra) ist in der Mitte des Brustbeins zu finden. Der fünfte Energiewirbel (das Hals-Chakra) befindet sich in der Gegend des Kehlkopfes. Der sechste Wirbel (das Stirn-Chakra) ist in der Mitte der Stirn zwischen den Augenbrauen zu finden. Und der siebte und oberste Energiewirbel schließlich (das Scheitel-Chakra) befindet sich auf dem Schädeldach.

In einem gesunden Körper dreht sich jeder dieser ‹Wirbel› mit hoher Geschwindigkeit und ermöglicht es dadurch der vitalen Lebensenergie, auch *Prana* oder ‹ätherische Energie› genannt, durch das endokrine System aufwärts zu fließen. Wenn aber einer oder mehrere dieser Wirbel anfangen, sich langsamer zu drehen, dann ist der Fluß der vitalen Lebensenergie behindert oder blockiert und – nun ja, das ist einfach eine andere Bezeichnung für Altern und schlechte Gesundheit.

Diese sich drehenden ‹Wirbel› dehnen sich bei einem gesunden Menschen so weit aus, daß sie aus dem Körper herausragen, bei einem alten, schwachen und kränklichen dagegen erreichen sie kaum die Körperoberfläche. Die schnellste Art, Jugend, Gesundheit und Vitalität wiederzugewinnen, ist, diese Energiezentren dazu zu bringen, sich wieder normal zu drehen. Es gibt fünf einfache Übungen, die das zustande bringen. Jede einzelne davon ist hilfreich, doch um die besten Ergebnisse zu erzielen, bedarf es aller fünf. Diese fünf Übungen sind eigentlich gar keine Übungen. Die Lamas nennen sie Riten, und ich selbst verwende gern diese Bezeichnung.»

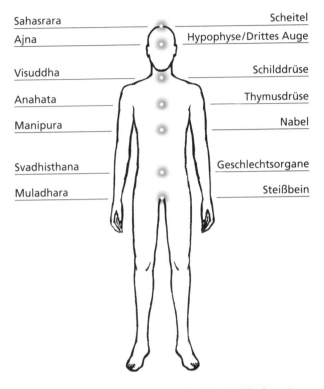

Sahasrara	Scheitel
Ajna	Hypophyse/Drittes Auge
Visuddha	Schilddrüse
Anahata	Thymusdrüse
Manipura	Nabel
Svadhisthana	Geschlechtsorgane
Muladhara	Steißbein

Die Lage der sieben Energiewirbel (Chakren)

Die sieben Energiewirbel des Körpers regieren die sieben endokrinen Drüsen. Sie sind wie auf einer Säule folgendermaßen aufgereiht: der erste befindet sich am unteren Ende der Wirbelsäule, der zweite im Unterbauch unterhalb des Bauchnabels, der dritte im Oberbauch, oberhalb des Bauchnabels und unterhalb des Brustkorbs, der vierte in der Mitte der Brust, der fünfte im Hals, der sechste in der Mitte der Stirn zwischen den Augenbrauen, und der siebte auf dem Schädeldach.
Diese Energiewirbel rotieren mit einer hohen Geschwindigkeit. Ist die Geschwindigkeit für alle gleich, befindet sich der Körper in einem vollkommenen gesundheitlichen Zustand. Verlangsamt sich die Rotation eines oder mehrerer Wirbel, setzt der Alterungsprozeß und damit der körperliche Verfall ein.

Die fünf Energie-Riten

Die Fünf »Tibeter«: Der erste Ritus

«Der erste Ritus», fuhr der Colonel fort, «ist einfach. Er wird eigens zu dem Zweck ausgeführt, die Drehgeschwindigkeit der Wirbel zu beschleunigen. Kinder tun dies bei ihren Spielen andauernd.

Sie müssen nur aufrecht stehen und die Arme ausbreiten, parallel zum Boden. Jetzt drehen Sie sich um sich selbst, ohne die Stelle, auf der Sie sich befinden, zu verlassen, bis Ihnen leicht schwindlig wird. Etwas ist wichtig: Sie müssen sich von links nach rechts drehen. Mit anderen Worten, wenn Sie eine Uhr mit dem Zifferblatt nach oben auf den Boden legen würden, drehen Sie sich in die gleiche Richtung wie die Uhrzeiger.

Die meisten Erwachsenen werden sich anfangs nur etwa ein halbes dutzendmal drehen können, bevor ihnen ziemlich schwindlig wird. Als Anfänger sollten Sie nicht versuchen, mehr zu machen. Und wenn Ihnen danach ist, sich hinzusetzen oder hinzulegen, um sich von dem Schwindelgefühl zu erholen, dann sollten Sie auf jeden Fall genau das tun. Ich habe das zuerst nicht anders gemacht. Üben Sie diesen Ritus für den Anfang nur so lange, bis Ihnen leicht schwindlig wird. Mit der Zeit, wenn Sie alle fünf Riten üben, werden Sie sich immer öfter drehen können, und das Schwindelgefühl läßt immer mehr nach.

Um das Schwindelgefühl zu verringern, können Sie einen Kniff von Tänzern und Eiskunstläufern anwenden. Bevor Sie anfangen sich zu drehen, konzentrieren Sie Ihren Blick auf einen Punkt gerade vor Ihnen. Wenn Sie anfangen sich zu drehen, halten Sie Ihren Blick so lange wie möglich auf diesen Punkt gerichtet.

Schließlich werden Sie ihn aus Ihrem Gesichtsfeld verschwinden lassen müssen, damit sich Ihr Kopf mit Ihrem Körper herumdrehen kann. Wenn das passiert, drehen Sie Ihren Kopf schnell herum, und richten Sie Ihren Blick so bald Sie können wieder auf Ihren Punkt. Dieser Bezugspunkt hilft Ihnen, weniger desorientiert und schwindlig zu werden.

Der Erste »Tibeter«

Als ich in Indien war, verblüffte es mich zu sehen, wie die Maulawiyah, oder wie die bekanntere Bezeichnung ist, die tanzenden Derwische, sich in religiöser Ekstase fast unaufhörlich im Kreise drehen. Nachdem ich in den ersten Ritus eingeführt worden war, erinnerte ich mich an zwei Dinge in Verbindung mit dieser Praxis. Erstens drehten sich die tanzenden Derwische immer nur in einer Richtung. Zweitens waren die älteren Derwische viril, stark und robust, viel mehr als die meisten Männer ihres Alters.

Als ich mit einem der Lamas darüber sprach, klärte er mich darüber auf, daß diese Drehbewegung der Derwische tatsächlich eine sehr wohltuende Wirkung habe, aber auch eine weniger günstige. Er erklärte, daß ihr übermäßiges Drehen einige der Wirbel überstimuliere und zur Erschöpfung führe. Dies hat den Effekt, daß der Fluß der vitalen Lebensenergie zuerst beschleunigt und dann blockiert wird. Diese aufbauende und niederreißende Wirkung ist die Ursache dafür, daß die Derwische eine Art psychischen Schub erleben, den sie irrtümlich, wie mir scheint, mit spiritueller oder religiöser Erfahrung verbinden.»

«Die Lamas dagegen», fuhr der Colonel fort, «drehen sich nicht bis zum Exzeß. Während sich die tanzenden Derwische oft hundertmal drehen, tun die Lamas dies nur etwa ein dutzendmal – höchstens 21mal – genug, um die Energiewirbel zum Drehen zu stimulieren.»

Die Fünf »Tibeter«: Der zweite Ritus

«Auf den ersten Ritus», fuhr der Colonel fort, «folgt ein zweiter, der die sieben Wirbel noch weiter stimuliert. Er ist sogar noch einfacher. Beim zweiten Ritus liegt man flach auf dem Boden, mit dem Gesicht nach oben. Am besten legt man sich auf einen dicken Teppich oder eine gepolsterte Unterlage. Die Lamas vollziehen diesen Ritus auf einer Art Gebetsteppich. Er ist etwa 60 Zentimeter breit und fast zwei Meter lang, ziemlich dick und besteht aus Wolle und einer Art Pflanzenfaser. Sein einziger Zweck ist es, den Körper vor der Kälte des Bodens zu schützen.

Der Zweite »Tibeter«

Trotzdem ist alles, was die Lamas tun, von religiöser Bedeutung, daher der Name ‹Gebetsteppich›.

Wenn Sie flach auf dem Rücken liegen, strecken Sie die Arme an Ihren Körperseiten entlang aus und legen die Handflächen auf den Boden, wobei Sie die Finger eng zusammenhalten. Dann heben Sie Ihren Kopf vom Boden und ziehen das Kinn an die Brust. Zugleich heben Sie Ihre Beine in eine senkrechte Stellung. *Der Rücken bleibt vollständig am Boden.* Wenn möglich, nehmen Sie die Beine weiter über den Körper in Richtung des Kopfes. Die Knie sollten dabei gestreckt sein. Senken Sie dann sowohl den Kopf als auch die Beine langsam wieder zum Boden. Lassen Sie alle Muskeln sich entspannen, und wiederholen Sie dann den Ritus – ohne sich zu überfordern.

Halten Sie sich bei jeder Wiederholung an einen *Atemrhythmus:* Atmen Sie tief ein, wenn Sie Kopf und Beine heben; atmen Sie vollständig aus, wenn Sie sie senken. Zwischen den Wiederholungen, während Sie Ihre Muskeln sich entspannen lassen, atmen Sie im gleichen Rhythmus weiter. [Ein Metronom oder eine leichte rhythmische Musik sind hier hilfreich]. *Je tiefer Sie atmen, desto besser.* Wenn Sie eine gut trainierte Bauch- und Rückenmuskulatur besitzen, können Sie diesen Ritus mit durchgedrückten Knien üben. Für die meisten Menschen ist es jedoch ratsam, die Knie beim Heben und Absenken der Beine angewinkelt zu lassen.

Einer der Lamas erzählte mir, daß er, als er zum ersten Mal versuchte, diesen einfachen Ritus zu üben, so alt, schwach und klapprig war, daß es ihm unmöglich war, seine Beine in eine senkrechte Stellung zu heben. So fing er damit an, daß er seine Beine in einer gebeugten Stellung hob, so daß seine Knie nach oben zeigten und seine Füße herabhingen. Nach und nach war er dann in der Lage, seine Beine zu strecken, bis er sie nach drei Monaten völlig mühelos gestreckt oben halten konnte.»

«Ich staunte über diesen speziellen Lama», sagte der Colonel. «Als er mir dies erzählte, war er das vollkommene Bild von Gesundheit und Jugend, obwohl ich wußte, daß er viele Jahre älter war als ich. Aus reiner Freude an der ‹Anstrengung› pflegte er eine Ladung Gemüse, die gute 100 Pfund wog, auf seinem Rücken vom Garten zum Kloster hinaufzutragen, das über 100 Meter

22

höher lag. Er nahm sich Zeit, aber er blieb auf dem Weg hinauf nicht ein einziges Mal stehen. Wenn er ankam, schien er nicht im geringsten erschöpft zu sein. Als ich zum ersten Mal versuchte, ihm den Hügel hinauf zu folgen, mußte ich mindestens ein dutzendmal stehenbleiben, um wieder zu Atem zu kommen. Später war ich in der Lage, den Hügel genauso mühelos wie er zu ersteigen und ohne meinen Stock. Aber das ist eine andere Geschichte.»

Die Fünf »Tibeter«: Der dritte Ritus

«Der dritte Ritus sollte unmittelbar nach dem zweiten geübt werden. Er ist ebenfalls einfach. Sie müssen nur mit aufrechtem Körper auf dem Boden knien, wobei *die Zehen aufgestellt* sind. Die Hände sollten dabei seitlich, etwas von hinten, an die Oberschenkelmuskeln gelegt werden.

Neigen Sie jetzt Kopf und Nacken nach vorn, und ziehen Sie das Kinn an die Brust. Legen Sie dann Kopf und Nacken behutsam nach hinten – nur so weit, wie es sich gut anfühlt –, und lehnen Sie sich gleichzeitig zurück, indem Sie die Wirbelsäule leicht nach hinten beugen. Während Sie sich zurückbeugen, stützen Sie sich mit den Armen und Händen an den Oberschenkeln oder am Becken ab. Danach kehren Sie in die Ausgangsstellung zurück und beginnen den Ritus erneut.

Wie beim zweiten Ritus sollten Sie auch hierbei einem *Atemrhythmus* folgen. Atmen Sie tief ein, wenn Sie sich nach hinten beugen. Atmen Sie aus, wenn Sie in die aufrechte Stellung zurückkehren. *Tiefes Atmen ist äußerst zuträglich;* füllen Sie deshalb Ihre Lungen, so gut Sie nur eben können.

Ich habe mehr als 200 Lamas diesen Ritus gemeinsam ausüben sehen. Um ihre Aufmerksamkeit nach innen zu lenken, schlossen sie ihre Augen. Auf diese Weise vermieden sie Ablenkungen und konnten sich nach innen konzentrieren.

Vor Tausenden von Jahren entdeckten die Lamas, daß alle Antworten auf die unwägbaren Geheimnisse des Lebens im Inneren zu finden sind. Sie entdeckten, daß all die Dinge, die zusammenwirken, um unser Leben zu gestalten, ihren Ursprung im Inneren eines jeden Menschen haben. Der westliche Mensch war nie in der Lage, diese Auffassung zu verstehen und zu begreifen. Er denkt, wie auch ich es tat, daß unser Leben durch unkontrollierbare Kräfte der materiellen Welt geformt wird. Zum Beispiel glauben die meisten Menschen im Westen, daß es ein Naturgesetz ist, daß unsere Körper altern und verfallen müssen. Durch ihre Innenschau wissen die Lamas, daß dies eine Illusion ist – und eine sich selbst erfüllende Prophezeiung.

Die Lamas, besonders diejenigen dieses speziellen Klosters, leisten eine bedeutende Arbeit für die Welt. Diese Arbeit wird jedoch auf astraler Ebene verrichtet. Von dieser Ebene aus unterstützen sie die Menschheit rund um die Erde. Denn sie liegt hoch über den Schwingungen der physikalischen Welt und ist ein starker Brennpunkt, wo mit wenig Energieverlust viel bewerkstelligt werden kann.

Eines Tages wird die Welt staunend erwachen, um Großes zu sehen, was von diesen Lamas und anderen ungesehenen Kräften geschaffen wurde. Schnell kommt die Zeit näher, in der ein neues Zeitalter anbrechen und eine neue Welt sichtbar werden wird. Es wird eine Zeit sein, in der der Mensch lernt, die mächtigen inneren Kräfte freizusetzen, die ihn befähigen, Krieg und Seuchen, Haß und Bitterkeit zu überwinden.

Die sogenannte ‹zivilisierte› Menschheit lebt in Wahrheit im dunkelsten aller dunklen Zeitalter. Jedoch werden wir auf bessere und wunderbare Dinge vorbereitet. Jeder von uns, der danach strebt, sein Bewußtsein auf eine höhere Ebene zu heben, trägt dazu bei, das Bewußtsein der Menschheit als Ganzes zu erhöhen.

Auf diese Weise hat die Ausübung der fünf Riten eine Wirkungskraft, die weit über den persönlichen, physischen Nutzen, den sie bringen, hinausgeht.»

Die Fünf »Tibeter«: Der vierte Ritus

«Als ich den vierten Ritus zum ersten Mal ausführte», sagte der Colonel, «schien er sehr schwierig zu sein. Doch nach einer Woche war er so einfach zu praktizieren wie alle anderen auch.

Der Dritte »Tibeter«

Setzen Sie sich zuerst auf den Boden mit den Beinen gerade nach vorne ausgestreckt, die Füße ungefähr auf Schulterbreite auseinander. Halten Sie Ihren Körper aufrecht, und legen Sie Ihre Handflächen neben Ihrem Gesäß auf den Boden. Ziehen Sie dann Ihr Kinn nach vorn gegen die Brust.

Jetzt lassen Sie Ihren Kopf nach hinten sinken. Heben Sie gleichzeitig Ihren Körper, so daß sich die Knie beugen, während die Arme gestreckt bleiben. Der Rumpf wird mit den Oberschenkeln eine gerade Linie bilden, parallel zum Boden. Sowohl Arme wie Unterschenkel zeigen senkrecht zum Boden. Spannen Sie dann – ohne den Atem anzuhalten – für einen Augenblick jeden Muskel Ihres Körpers an. Und schließlich, wenn Sie in die ursprüngliche, sitzende Stellung zurückkehren, entspannen Sie Ihre Muskeln und ruhen sich aus, bevor Sie den Vorgang wiederholen.

Auch bei diesem Ritus ist wieder die Atmung wichtig. Atmen Sie tief ein, wenn Sie Ihren Körper anheben. Sie brauchen den Atem nicht anzuhalten, während Sie die Muskeln anspannen. Atmen Sie vollständig aus, wenn Sie wieder zum Sitzen kommen und im gleichen Rhythmus weiter, wenn Sie sich (was für viele hilfreich ist) zwischen den Wiederholungen ausruhen.»

«Nachdem ich das Kloster verlassen hatte», fuhr der Colonel fort, «ging ich in einige größere indische Städte und leitete als ein Experiment Kurse sowohl auf Englisch als auch auf Hindi. Ich fand heraus, daß die älteren Mitglieder beider Gruppen das Gefühl hatten, daß bei diesem Ritus nichts Gutes herauskommen könne, wenn sie ihn nicht von Anfang an perfekt ausführen könnten. Es war äußerst schwierig, sie davon zu überzeugen, daß dies nicht zutrifft. Schließlich überredete ich sie, den Ritus auszuführen, so gut sie konnten, um zu sehen, was im Verlauf eines Monats passieren würde. Sobald ich sie dazu gebracht hatte, beim Üben der Riten einfach das Mögliche zu tun, waren die Ergebnisse nach einem Monat mehr als befriedigend.

Ich erinnere mich, daß ich in einer Stadt eine ganze Reihe älterer Leute in einem meiner Kurse hatte. Als sie diesen speziellen Ritus – den vierten – versuchten, konnten sie kaum ihre Körper vom Boden heben; sie konnten auch nicht annähernd eine horizontale Position erreichen. In dem gleichen Kurs waren

Der Vierte »Tibeter«

einige viel jüngere Leute, die keine Schwierigkeiten hatten, den Ritus schon am ersten Tag perfekt auszuführen. Das entmutigte die älteren Leute so, daß ich die beiden Gruppen trennen muß- te. Ich erklärte der älteren Gruppe, daß ich, als ich diesen Ritus zum ersten Mal versucht hatte, ihn auch nicht besser hatte aus- führen können als sie. ‹Aber›, erzählte ich ihnen, ‹jetzt kann ich diesen Ritus 50 Mal wiederholen, ohne auch nur die geringste nervliche oder Muskelanstrengung zu spüren.› Und um das zu beweisen, tat ich es vor ihren Augen. Von da an brach die ältere Gruppe alle Rekorde in ihren Fortschritten.

Der einzige Unterschied zwischen Jugend und Lebenskraft einerseits und Alter und schlechter Gesundheit andererseits besteht einfach in der Geschwindigkeit, mit der sich die Wirbel drehen. Normalisiere den Grad der Geschwindigkeit, und ein alter Mensch fühlt sich wie neu geboren.»

Die Fünf »Tibeter«: Der fünfte Ritus

Der Colonel fuhr fort: «Wenn Sie den fünften Ritus ausführen, sind Sie mit dem Gesicht zum Boden gewandt. Sie sind auf die Hände gestützt, mit den Handflächen und den Füßen flach auf dem Boden. Während dieses Ritus sollten die Hände und Füße jeweils etwa schulterbreit voneinander entfernt sein, und Arme und Beine sollten gestreckt gehalten werden.

Beginnen Sie mit den Armen senkrecht zum Boden und der Wirbelsäule durchgebogen, so daß der Körper nach unten durchhängt. Neigen Sie jetzt den Kopf langsam so weit wie mög- lich zurück. Dann biegen Sie den Körper an den Hüften ab und heben ihn an, so daß er ein umgedrehtes ‹V› bildet. Gleichzeitig bringen Sie das Kinn nach vorn und ziehen es an die Brust. Das ist schon alles. Kehren Sie in die Ausgangsstellung zurück, und fangen Sie erneut an.

Am Ende der ersten Woche wird ein Durchschnittsmensch diesen Ritus als besonders bereichernd empfinden. Sobald Sie in ihm geübt sind, lassen Sie Ihren Körper aus der angehobenen Stellung mit Leichtigkeit heruntersinken bis zu einem Punkt, wo er beinahe, aber nicht ganz, den Boden berührt.

Der Fünfte »Tibeter«

Folgen Sie dem gleichen tiefen Atemmuster wie bei den vorherigen Riten. Atmen Sie tief ein, wenn Sie den Körper anheben. Atmen Sie vollständig aus, wenn Sie ihn senken.»

«Überall wo ich hinkomme», fuhr der Colonel fort, «nennen die Leute diese Riten zuerst isometrische Übungen. Es ist wahr, daß die fünf Riten nützlich sind, um steife Muskeln und Gelenke zu strecken und den Muskeltonus zu verbessern. Aber das ist nicht ihr Hauptzweck. Der wahre Gewinn aus diesen Riten ist, daß sie die Geschwindigkeit der sich drehenden Energiewirbel normalisieren. Sie werden dazu gebracht, sich mit einer Geschwindigkeit zu drehen, die für, sagen wir, einen kraftvollen und gesunden Menschen von 25 Jahren richtig ist.»

«Bei einem solchen Menschen», erklärte der Colonel, «drehen sich alle Wirbel mit derselben Geschwindigkeit. Wenn man andererseits die sieben Wirbel eines Mannes oder einer Frau mittleren Alters sehen könnte, würde man sofort feststellen, daß sich manche von ihnen beträchtlich verlangsamt haben. Sie würden sich alle mit unterschiedlicher Geschwindigkeit drehen und dadurch nicht harmonisch zusammenarbeiten. Die langsameren würden bewirken, daß der betreffende Körperteil verfällt, während die schnelleren Nervosität, Ängstlichkeit und Erschöpfung verursachen würden. So ist es der unharmonische Zustand der Wirbel, der schwache Gesundheit, Verfall und Altern hervorbringt.»

Die Fünf »Tibeter«

Fragen und Antworten

Während der Colonel die fünf Riten beschrieb, waren bei mir immer wieder Fragen aufgetaucht, und jetzt, da er geendet hatte, begann ich einige davon zu stellen.

«Wie oft wird jeder Ritus ausgeführt?» war meine erste Frage.

«Für den Anfang», erwiderte der Colonel, «schlage ich vor, daß Sie in der ersten Woche jeden Ritus dreimal am Tag üben. Steigern Sie dann in jeder folgenden Woche um zweimal, bis Sie für jeden Ritus bei täglich 21 Mal angelangt sind. Mit anderen Worten, in der zweiten Woche üben Sie jeden Ritus fünfmal, in der dritten Woche siebenmal, in der vierten Woche neunmal täglich und so weiter. Nach zehn Wochen werden Sie bei der vollen Zahl von 21mal pro Tag angekommen sein.

Wenn Sie Schwierigkeiten haben, den ersten Ritus, das Drehen, so oft auszuführen wie die anderen, dann tun Sie es einfach so oft Sie können, ohne daß Ihnen zu schwindlig wird. Mit der Zeit wird es Ihnen dann möglich sein, sich die vollen 21 Male zu drehen.

Ich kannte einen Mann, der die Riten über ein Jahr lang ausführte, bevor er sich so oft drehen konnte. Er hatte keine Schwierigkeit, die anderen vier Riten auszuführen, und so steigerte er das Drehen ganz allmählich, bis er die vollen 21 Mal schaffte. Und er hatte vorzügliche Resultate.

Einige Leute finden es schwierig, sich überhaupt zu drehen. Wenn sie das Drehen weglassen und die anderen Riten vier bis sechs Monate lang ausüben, stellen sie für gewöhnlich fest, daß sie dann anfangen können, auch das Drehen in Angriff zu nehmen.»

«Zu welcher Tageszeit sollten die Riten ausgeübt werden?» war meine nächste Frage an den Colonel.

«Sie können entweder am Morgen oder am Abend ausgeübt werden», antwortete er, «je nachdem, was besser paßt. Ich praktiziere sie sowohl morgens als auch abends, aber für den Anfänger würde ich so viel Stimulierung nicht empfehlen. Wenn Sie die Riten etwa vier Monate lang ausgeführt haben, könnten Sie damit anfangen, morgens weiter die volle Anzahl auszuüben und dann zusätzlich abends jeden Ritus dreimal zu wiederholen. Steigern Sie auch dies ganz allmählich, wie bei der allmorgendlichen Übungsfolge, bis Sie bei den vollen 21 Mal angekommen sind. Aber es ist nicht notwendig, die Riten mehr als 21mal zu machen, weder am Morgen noch am Abend, es sei denn, Sie sind wirklich motiviert, das zu tun.»

«Ist jeder dieser Riten gleich wichtig?» fragte ich als nächstes.

«Die fünf Riten arbeiten Hand in Hand und sind alle gleich wichtig», sagte der Colonel. «Wenn Sie, nachdem Sie die Riten eine Weile lang ausgeübt haben, feststellen, daß Sie nicht in der Lage sind, sie alle die erforderliche Anzahl von Malen durchzuführen, versuchen Sie, die Riten auf zwei Übungsfolgen aufzuteilen, eine am Morgen, die andere am Abend. Wenn Sie es bei einem der Riten unmöglich finden, ihn überhaupt auszuüben, lassen Sie ihn weg, und machen Sie die anderen vier. Dann, nach einigen Monaten, probieren Sie den Ritus, mit dem Sie Schwierigkeiten hatten, wieder. Es kann sein, daß sich die Resultate auf diese Weise etwas langsamer einstellen, aber einstellen werden sie sich trotzdem.

Unter keinen Umständen sollten Sie sich jedoch überanstrengen, denn das würde genau das Gegenteil bewirken. Machen Sie einfach soviel Sie sich zumuten können, und bauen Sie allmählich auf. Und lassen Sie sich niemals entmutigen! Es gibt wenige Menschen, die nicht mit Zeit und Geduld allmählich alle fünf Riten 21mal am Tag ausführen können.

Bei ihren Versuchen, ihre Schwierigkeiten mit einem der Riten zu überwinden, werden manche Leute sehr erfinderisch. Ein alter Mann in Indien fand es unmöglich, den vierten Ritus auch nur einmal ordentlich auszuführen. Er gab sich nicht damit zufrieden, einfach nur seinen Körper vom Boden hochzubekommen. Er war entschlossen, eine horizontale Stellung zu erreichen, wie ich sie zuvor beschrieben habe. Also besorgte er sich eine etwa 25 cm hohe Kiste und polsterte ihre Oberseite. Dann legte er sich flach auf die Kiste, stellte seine Füße am einen Ende auf den Boden und seine Hände am anderen Ende. Aus dieser Stellung war es ihm recht gut möglich, seinen Torso in eine waagrechte Position zu bringen.

Nun, dieser Trick mag den alten Herrn nicht gerade befähigt haben, den Ritus 21mal auszuführen. Was er dagegen ermöglichte, war, daß er seinen Körper so hoch heben konnte, wie viel stärkere Männer. Und dies hatte eine positive psychologische Wirkung, die für sich allein schon recht förderlich war. Es ist nicht so, daß ich seine Technik unbedingt empfehlen würde, aber sie könnte anderen helfen, die es für unmöglich halten, auf irgendeine andere Weise Fortschritte zu erzielen. Ein wenig Erfindungsgabe wird Ihnen da weitere Wege zeigen.»

An meine letzte Frage anschließend, fragte ich den Colonel: «Was ist, wenn einer dieser fünf Riten ganz weggelassen wird?»

«Diese Riten sind so wirksam», erwiderte er, «daß man auch dann zu ausgezeichneten Resultaten kommt, wenn man einen wegläßt, dafür aber die anderen vier regelmäßig und in voller Wiederholungszahl ausübt. Sogar ein Ritus allein wird schon Wunder wirken, wie man am Beispiel der tanzenden Derwische, die ich zuvor erwähnte, sehen kann. Die älteren Derwische, die sich nicht so exzessiv drehten wie die jüngeren, waren stark und männlich – ein gutes Anzeichen dafür, daß schon ein Ritus allein starke Wirkungen haben kann. Wenn Sie also herausfinden, daß Sie einfach nicht alle Riten ausüben können, oder daß Sie sie nicht insgesamt 21mal ausführen können, so können Sie doch sicher sein, daß Ihnen alles, wozu auch immer Sie in der Lage sind, gute Ergebnisse bringen wird.»

Meine nächste Frage war: «Können die Riten auch in Verbindung mit anderen Übungsprogrammen ausgeführt werden, oder würden die beiden miteinander im Widerspruch stehen?»

«Auf jeden Fall», sagte der Colonel, «wenn Sie schon eine Art von Übungsprogramm haben, setzen Sie es fort. Wenn Sie keines haben, sollten Sie daran denken, mit einem zu beginnen. Jede Form von Übung, besonders aber Übungen für Herz und Gefäße, helfen dem Körper, ein jugendliches Gleichgewicht aufrechtzuerhalten. Darüber hinaus werden die fünf Riten helfen, die Drehung der Wirbel zu normalisieren, so daß der Körper noch empfänglicher für die wohltuenden Wirkungen von anderen Übungen wird.»

«Haben Sie sonst noch irgendwelche Anregungen», fragte ich ihn.

«Es gibt noch zwei Dinge, die hilfreich sind. Ich habe bereits das tiefe rhythmische Atmen erwähnt, während man zwischen den Wiederholungen der Riten ausruht. Zusätzlich wäre es hilfreich, sich zwischen den einzelnen Riten aufrecht hinzustellen, mit den Händen auf den Hüften, und mehrere Male tief und rhythmisch zu atmen. Wenn Sie ausatmen, stellen Sie sich vor, daß alle Anspannung, die in Ihrem Körper ist, herausfließt, so daß Sie sich ganz entspannt und wohl fühlen können. Wenn Sie einatmen, stellen Sie sich vor, daß Sie sich mit einem Gefühl der Erfüllung und des Wohlbehagens anfüllen.

Ein anderer Vorschlag ist, nach dem Üben der Riten entweder ein lauwarmes oder ein kühles Bad zu nehmen, aber kein kaltes. Schnell erst mit einem nassen, dann mit einem trockenen Handtuch über den Körper zu gehen, ist wahrscheinlich sogar noch besser. Vor einem muß ich Sie allerdings warnen: Sie dürfen nie eine Dusche oder ein Bad nehmen oder sich mit einem nassen Handtuch abreiben, die kalt genug sind, Sie innerlich abzukühlen. Wenn Sie das tun, haben Sie sich um den ganzen Gewinn gebracht, den Sie aus dem Ausüben der Riten gezogen haben.»

Ich war aufgeregt über all das, was der Colonel mir erzählt hatte, aber ganz tief in meinem Inneren muß doch noch ein Rest Skepsis gewesen sein. «Ist es möglich, daß die ‹Quelle der Jugend› wirklich so einfach ist wie das, was Sie mir beschrieben haben?» fragte ich.

«Alles was nötig ist», antwortete der Colonel, «ist, die fünf Riten täglich zu üben – anfangs mit dreimaligem Wiederholen jeder Übung und dann allmählich zu steigern, bis Sie jeden einzelnen Ritus 21mal am Tag ausführen. Das ist das wunderbar einfache Geheimnis, das der ganzen Welt nützen könnte, wenn es bekannt wäre.»

«Natürlich», fügte er hinzu, «müssen Sie die Riten jeden Tag üben, um *wirklichen* Nutzen daraus zu ziehen. Einen Tag in der Woche dürfen Sie auslassen, aber niemals mehr. Und wenn Sie es zulassen, daß eine Geschäftsreise oder irgendeine andere Verpflichtung diese tägliche Routine unterbricht, wird Ihr gesamter Fortschritt darunter leiden.

Zum Glück finden es die meisten Leute, die mit den fünf Riten anfangen, nicht nur einfach, sondern auch erfreulich und lohnend, dies jeden Tag zu tun – besonders dann, wenn sie anfangen, die wohltuende Wirkung zu spüren. Schließlich dauert es nur etwa 20 Minuten, alle fünf zu machen. Und jemand, der körperlich fit ist, kann die Riten in zehn oder noch weniger Minuten ausführen. Wenn Sie Mühe haben, auch nur so viel freie Zeit zu finden, dann stehen Sie einfach am Morgen ein wenig früher auf, oder gehen Sie abends etwas später ins Bett.

Die fünf Riten dienen ganz ausdrücklich dem Zweck, dem Körper seine Gesundheit und jugendliche Vitalität zurückzugeben. Andere Faktoren tragen entscheidend dazu bei, ob Sie Ihre physische Erscheinung so dramatisch verändern werden, wie ich das getan habe. Zwei dieser Faktoren sind geistige Einstellung und Motivation.

Sie haben festgestellt, daß manche Menschen mit 40 alt aussehen, andere dagegen mit 60 noch jung. Es ist die geistige Einstellung, die diesen Unterschied ausmacht. Wenn Sie fähig sind, sich trotz Ihres Alters als jung zu empfinden, werden auch andere Sie so sehen. Sobald ich damit angefangen hatte, die fünf Riten zu üben, gab ich mir Mühe, aus meinem Kopf das Bild von mir als schwachem alten Mann zu tilgen. Statt dessen festigte ich in meiner Vorstellung ein Bild von mir in meinen besten Jahren. Und ich setzte Energie in Form von sehr starkem Verlangen hinter dieses Bild. Das Ergebnis ist das, was Sie jetzt sehen.

Für viele Menschen wäre dies ein schwieriges Unterfangen, weil sie es unmöglich finden, die Art und Weise, wie sie sich selbst sehen, zu verändern. Sie glauben, daß der Körper darauf programmiert ist, früher oder später alt und schwach zu werden, und nichts wird sie in dieser Ansicht erschüttern. Trotzdem werden sie sich, wenn sie einmal damit anfangen, die fünf Riten zu üben, jünger und kraftvoller fühlen. Dies wird ihnen in der Folge helfen, ihr Bild von sich selbst zu verändern. Ganz allmählich werden sie beginnen, sich selbst als jünger zu empfinden. Und es wird nicht lange dauern, bis auch andere Menschen Bemerkungen darüber machen, daß sie jünger aussehen.

Es gibt noch einen anderen, äußerst wichtigen Faktor für diejenigen, die entscheidend jünger aussehen wollen, und zwar gibt es noch einen zusätzlichen Ritus, den ich bis jetzt absichtlich zurückgehalten habe. Aber dieser sechste Ritus ist ein Thema, das ich mir für einen späteren Zeitpunkt aufheben werde.»

ZWEITER TEIL

Kein Mensch ist frei,
der ein Sklave des Leibes ist.
Lucius Annaeus Seneca

Fortschritte im Himalaja-Klub

Es war fast drei Monate her, seit Colonel Bradford aus Indien zurückgekehrt war, und viel war in dieser Zeit geschehen. Ich hatte sofort angefangen, die fünf Riten zu üben, und war sehr zufrieden mit den ausgezeichneten Resultaten. Der Colonel war verreist gewesen, um sich um persönliche Angelegenheiten zu kümmern, so daß ich einige Zeit keinen Kontakt mit ihm gehabt hatte. Als er mich schließlich wieder anrief, erzählte ich ihm eifrig von meinen Fortschritten und versicherte ihm, daß ich bereits zu meiner vollsten Zufriedenheit bewiesen hatte, wie höchst wirksam die Riten sein können.

In der Tat war meine Begeisterung über die Riten so groß geworden, daß ich begierig war, die Informationen an andere Menschen weiterzugeben, die auch davon profitieren könnten. Deshalb fragte ich den Colonel, ob er es in Betracht ziehen würde, eine Gruppe zu leiten. Auch er hielt dies für eine gute Idee und erklärte sich dazu bereit, aber nur unter drei Bedingungen.

Die erste Bedingung war, daß die Gruppe einen Querschnitt aus Männern und Frauen aller Bevölkerungsschichten bilden müsse: Akademiker, Arbeiter, Hausfrauen und so weiter.

Die zweite Bedingung war, daß kein Mitglied der Gruppe unter 50 Jahren sein dürfte, obwohl sie 100 oder mehr Jahre alt sein konnten, wenn es mir gelänge, Menschen in diesem Alter zu finden, die bereit wären, mitzumachen. Der Colonel bestand darauf, obwohl die fünf Riten jüngeren Menschen genauso gut tun.

Und die dritte Bedingung war, daß die Gruppe auf 15 Mitglieder zu beschränken sei. Dies war eine ziemliche Enttäuschung für mich, denn ich hatte mir eine viel größere Gruppe vorgestellt. Nachdem ich ohne Erfolg versucht hatte, den Colonel dazu zu bringen, seine Einstellung zu ändern, stimmte ich schließlich allen drei Bedingungen zu.

Schon bald hatte ich eine Gruppe zusammengebracht, die allen Anforderungen entsprach, und diese Gruppe war von Anfang an ein großer Erfolg. Wir trafen uns einmal in der Woche, und schon in der zweiten Woche glaubte ich bei einigen Mitgliedern Veränderungen sehen zu können. Der Colonel ersuchte uns jedoch, unsere Fortschritte nicht miteinander zu diskutieren, und ich hatte keine Möglichkeit, herauszufinden, ob die anderen mir zustimmen würden. Dann, am Ende des Monats, wurde ich von meiner Ungewißheit befreit. Wir hielten eine Art Testtreffen ab, bei dem wir alle aufgefordert wurden, uns gegenseitig unsere Ergebnisse mitzuteilen. Jeder der Anwesenden berichtete von zumindest einer Verbesserung. Manche schilderten ihre Fortschritte in leuchtenden Farben, und ein paar davon konnte man sogar bemerkenswert nennen. Ein Mann, der auf die 75 zuging, hatte am allermeisten profitiert.

Die wöchentlichen Treffen des «Himalaja-Klubs», wie wir ihn nannten, gingen weiter. Als schließlich die zehnte Woche kam, übten praktisch alle Mitglieder alle fünf Riten 21mal am Tag. Alle behaupteten nicht nur, sich besser zu fühlen, sie glaubten auch, daß sie jünger aussahen, und einige scherzten sogar, daß sie nun nicht mehr ihr wahres Alter verrieten.

Dies erinnerte mich daran, daß der Colonel, als wir ihn einige Wochen zuvor nach seinem Alter gefragt hatten, gesagt hatte, daß er uns diese Information bis zum Ende der zehnten Woche vorenthalten würde. Nun, dieser Zeitpunkt war jetzt gekommen, aber der Colonel war noch nicht eingetroffen. Jemand schlug vor, daß jeder von uns das Alter des Colonels raten und es auf ein Stück Papier schreiben solle. Wenn wir dann die Wahrheit erführen, könnten wir sehen, wer ihr am nächsten gekommen war. Wir stimmten dem zu, und die Zettel wurden gerade eingesammelt, als der Colonel hereinkam.

Als wir erklärten, was wir im Schilde führten, sagte Colonel Bradford: «Bringen Sie sie her, damit ich sehen kann, wie gut Sie geschätzt haben. Und dann werde ich Ihnen sagen, wie alt ich wirklich bin.» Mit amüsierter Stimme las der Colonel jeden der Zettel laut vor. Alle hatten geschätzt, daß er in den Vierzigern sei, und die meisten hatten auf die frühen Vierziger getippt.

«Meine Damen und Herren», sagte er, «ich danke Ihnen für Ihre großzügigen Komplimente. Und nachdem Sie ehrlich mit mir waren, werde ich es auch mit Ihnen sein. An meinem nächsten Geburtstag werde ich 73 Jahre alt werden.»

Zuerst starrten ihn alle ungläubig an. War es wirklich möglich, daß ein 73 Jahre alter Mann nur beinahe halb so alt aussah? Dann drängte sich uns die Frage auf, wieso der Colonel Erfolge erzielt hatte, die so viel eindrucksvoller waren als die unseren.

«Vor allem», erklärte der Colonel, «machen Sie diese wundervolle Arbeit erst seit zehn Wochen. Wenn Sie zwei Jahre davon hinter sich haben, werden Sie eine viel ausgeprägtere Veränderung feststellen. Aber es gehört noch mehr dazu. Ich habe Ihnen noch nicht alles gesagt, was es zu wissen gibt.

Ich habe Ihnen fünf Riten gegeben, deren Zweck es ist, Ihnen jugendliche Gesundheit und Vitalität zu verleihen. Sie werden Ihnen auch helfen, ein jüngeres Aussehen zurückzugewinnen. Aber wenn Sie wirklich wollen, daß die Gesundheit und das Aussehen der Jugend vollständig wiederhergestellt werden, gibt es einen sechsten Ritus, den Sie üben müssen. Ich habe bis jetzt nichts darüber gesagt, weil er sinnlos für Sie gewesen wäre, wenn Sie nicht zuerst gute Ergebnisse aus den anderen fünf erzielt hätten.»

Der sechste Ritus

Der Colonel warnte die Gruppe, daß sie, um aus diesem sechsten Ritus Nutzen ziehen zu können, sich eine sehr harte Disziplin auferlegen müßten. Er schlug uns vor, einige Zeit darüber nachzudenken, ob wir gewillt waren, dies für den Rest unseres Lebens zu tun. Und diejenigen, die mit dem sechsten Ritus weiterzumachen wünschten, lud er ein, in der folgenden Woche wiederzukommen. Nachdem sie darüber nachgedacht hatten, kamen nur fünf Mitglieder der Gruppe wieder, doch der Colonel sagte, daß dies ein besseres Ergebnis sei, als ihm mit irgendeiner seiner Gruppen in Indien gelungen wäre.

Als er ihnen von diesem zusätzlichen Ritus erzählte, erklärte der Colonel, daß dieser die *Regenerationsenergie* des Körpers heben würde. Dieser Prozeß würde nicht nur eine geistige Erneuerung bewirken, sondern auch den ganzen Körper erneuern. Aber er warnte, daß dies eine Selbstbeschränkung erfordern würde, die die meisten Menschen nicht zu akzeptieren bereit seien.

Dann fuhr der Colonel mit seiner Erklärung fort: «Beim Durchschnittsmann und der Durchschnittsfrau wird ein großer Teil der Lebenskraft, der die sieben Energiewirbel nährt, in sexuelle Kraft umgewandelt. Ein großer Teil dieser Energie geht schon in den unteren Wirbeln verloren, so daß sie nie in die oberen Chakren gelangen kann.

Um ein ‹Supermann› oder eine ‹Superfrau› zu werden, muß diese gewaltige Energie zuerst aktiviert und dann nach oben gerichtet werden, so daß sie von allen Wirbeln genutzt werden kann, ganz besonders vom siebten. Mit anderen Worten: Es ist notwendig, sich auf das Zölibat einzulassen, so daß die Sexualenergie zu einem höheren Nutzen *umgeleitet* werden kann.

Nun ist es eine sehr einfache Sache, vitale Lebenskraft nach oben zu richten, und doch sind die Versuche der Menschen durch die Jahrhunderte für gewöhnlich fehlgeschlagen. Im Westen haben religiöse Orden genau dies verursacht und sind gescheitert – weil sie versuchten, Fortpflanzungsenergie zu beherrschen, indem sie sie unterdrückten. Es gibt nur einen Weg, diesen mächtigen Trieb zu beherrschen, und das ist nicht, indem man ihn vergeudet oder unterdrückt, sondern indem man ihn *umwandelt* – ihn umwandelt und zugleich *emporhebt*. Auf diese Weise haben Sie das ‹Lebenselixier›, wie es die Alten nannten, nicht nur entdeckt, Sie haben es dann auch zur *Anwendung* gebracht, was den Alten nur selten gelungen ist.

Nun, um den sechsten Ritus auszuführen, beachten Sie folgendes: Er sollte nur geübt werden, wenn Sie einen *Überschuß an sexueller Energie* haben und ein natürliches Verlangen besteht, dem Ausdruck zu verleihen. Zum Glück ist dieser Ritus so einfach, daß Sie ihn überall und jederzeit ausüben können, wann immer Sie das Bedürfnis spüren.

Das ist alles: Stellen Sie sich aufrecht hin, und lassen Sie alle Luft aus Ihren Lungen entweichen. Beugen Sie sich dabei nach vorn, und legen Sie Ihre Hände auf die Knie. Pressen Sie den letzten Rest an Luft heraus, und kehren Sie dann, mit leeren Lungen, in die aufrechte Stellung zurück. Legen Sie die Hände auf die Hüften, und drücken Sie sie nach unten. Dadurch werden Ihre Schultern nach oben geschoben. Ziehen Sie dabei den Bauch so weit wie möglich ein, und heben Sie gleichzeitig die Brust an.

Halten Sie diese Stellung jetzt so lange Sie es aushalten. Wenn Sie schließlich gezwungen sind, wieder Luft in Ihre leeren Lungen aufzunehmen, lassen Sie die Luft durch die Nase einströmen. Wenn die Lungen voll sind, atmen Sie durch den Mund aus. Beim Ausatmen entspannen Sie Ihre Arme und lassen sie natürlich locker an den Seiten herunterhängen. Atmen Sie dann mehrmals tief durch Mund oder Nase ein, und lassen Sie die Luft durch Mund oder Nase wieder entweichen. Das ist der Ritus, der das ganze System abrundet – die Krönung des Ganzen! Für die meisten Menschen sind *nur drei Wiederholungen* erforderlich, um die sexuelle Energie umzuleiten und ihre starke Kraft aufwärts zu lenken.

Es gibt nur einen Unterschied zwischen einem Menschen, der gesund und vital ist, und einem ‹Supermann› oder einer ‹Superfrau›. Der erstere leitet vitale Lebenskraft in Ausdruck und Austausch der sexuellen Energie, während die letzteren diese Kraft nach oben lenken, um Gleichgewicht und Harmonie durch alle sieben Wirbel zu schaffen. Das ist der Grund, warum ein solcher

Der sechste Ritus

Mensch jeden Tag und jeden Augenblick jünger wird. Er erzeugt in sich selbst das wahre ‹Elixier des Lebens›.

Jetzt können Sie verstehen, daß ich die ‹Quelle der Jugend› die ganze Zeit in mir trug. Die fünf Riten – oder sechs, um genauer zu sein – waren lediglich ein Schlüssel, der die Tür aufsperrte. Wenn ich an Ponce de León denke und an seine vergebliche Suche nach dem ‹Jungbrunnen›, dann denke ich, welch ein Jammer es war, daß er so weit umherzog, um doch mit leeren Händen zu enden. Er hätte sein Ziel erreichen können, ohne seine Heimat auch nur zu verlassen. Aber genau wie ich, so glaubte auch er, daß sich der ‹Jungbrunnen› in einem entfernten Winkel der Welt befinden müsse. Nie kam ihm die Vermutung, daß er die ganze Zeit direkt in ihm selbst verborgen lag.

Bitte verstehen Sie, daß es, um den sechsten Ritus sinnvoll auszuüben, notwendig ist, daß die betreffende Person auch tatsächlich einen sexuellen Trieb verspürt. Er oder sie können Sexualenergie kaum umwandeln, wenn da wenig oder gar nichts umzuwandeln ist. Es ist unmöglich für einen Menschen, der keinen Sexualtrieb mehr verspürt, aus diesem Ritus einen Nutzen zu ziehen. Er oder sie sollte dies nicht einmal versuchen, denn es würde nur zu Entmutigung führen. Statt dessen sollte dieser Mensch, ungeachtet seines Alters, zuerst die anderen fünf Riten lange genug üben, bis er seinen Sexualtrieb zurückgewinnt.

Auch sollte den sechsten Ritus nicht ausführen, wer nicht aufrichtig motiviert ist. Wenn sich ein Mensch unvollständig fühlt, was den Ausdruck seiner Sexualität angeht, und darum kämpfen muß, ihre Anziehungskraft zu überwinden, dann ist er nicht wirklich fähig, Sexualenergie umzuwandeln und aufwärts zu lenken. Die Energie könnte statt dessen fehlgeleitet werden und zu Unruhe und inneren Konflikten führen. Der sechste Ritus ist vor allem für diejenigen bestimmt, die sich sexuell vollendet fühlen und ein wirkliches Verlangen haben, sich anderen Zielen zuzuwenden.

Für die große Mehrheit der Menschen ist die Wahl eines Lebens im Zölibat kein gangbarer Weg, und sie sollten einfach die ersten fünf Riten ausüben. Doch ist es möglich, daß die fünf Riten mit der Zeit zu einer Veränderung der Prioritäten und zu dem aufrichtigen Verlangen führen, ein ‹Supermann› oder eine ‹Superfrau› zu werden. Zu diesem Zeitpunkt sollte die oder der Betreffende den festen Entschluß fassen, einen neuen Lebensweg zu beginnen. Ein solcher Mensch sollte dann bereit sein, diesen Weg fortzusetzen, ohne zurückzuschauen. Wer dazu fähig ist, befindet sich auf dem Weg, wahre Meisterschaft zu erlangen. Er ist fähig, die vitale Lebenskraft zu benutzen, um alles zu erreichen, was er wünscht.»

DRITTER TEIL

Um dein Leben zu verlängern,
kürze deine Mahlzeiten.
Benjamin Franklin

Vitalität und Ernährung

Nach der zehnten Woche war Colonel Bradford nicht mehr bei jedem Treffen dabei, doch blieb sein Interesse am «Himalaja-Klub» bestehen. Von Zeit zu Zeit pflegte er zu der Gruppe über verschiedene hilfreiche Themen zu sprechen, und gelegentlich fragten Mitglieder der Gruppe ihn in bestimmten Dingen um Rat. Zum Beispiel waren mehrere von uns besonders an gesunder Ernährung interessiert und an der ungeheuer wichtigen Rolle, die die Nahrung in unserem Leben spielt. Es gab verschiedene Ansichten zu diesem Thema, und so beschlossen wir, Colonel Bradford zu bitten, uns die Nahrung der Lamas und ihre Ernährungsgrundsätze zu beschreiben.

«In dem Kloster im Himalaja, in dem ich Novize war», sagte der Colonel, als er in der folgenden Woche zu uns sprach, «gibt es keine Probleme, die die richtige Nahrung betreffen oder die Beschaffung ausreichender Mengen von Nahrung. Jeder der Lamas leistet seinen Beitrag, das zu produzieren, was benötigt wird. Die ganze Arbeit wird auf die primitivste Art und Weise getan. Sogar der Boden würde mit dem Spaten umgegraben, wenn sie das wollten, aber sie ziehen den direkten Kontakt mit der Erde vor. Sie empfinden, daß das direkte Handhaben und Bearbeiten der Erde der Existenz des Menschen etwas hinzufügt. Ich persönlich empfand dies als eine Erfahrung, die mein Leben bereichert hat. Sie trug zu einem Gefühl der Einheit mit der Natur bei.

Nun, es stimmt, daß die Lamas Vegetarier sind, wenn auch nicht im strikten Sinne. Sie verwenden Eier, Butter und Käse in genau den Mengen, die ausreichend sind, um bestimmten Funktionen des Gehirns, des Körpers und des Nervensystems zu dienen. Sie essen jedoch kein Fleisch, denn die Lamas, die stark und gesund sind und den sechsten Ritus üben, scheinen kein Bedürfnis nach Fleisch, Fisch und Geflügel zu haben.

Die meisten Menschen, die sich dem Stand der Lamas anschlossen, waren wie ich weltliche Männer, die wenig über angemessene Nahrung und bewußte Ernährung informiert waren. Aber nicht lange nach ihrer Ankunft im Kloster begannen sich bei ihnen unweigerlich wunderbare Zeichen physischer Besserung zu zeigen. Und dies war zumindest teilweise auf ihre Ernährung dort zurückzuführen.

Kein Lama ist wählerisch in bezug auf das, was er ißt. Er kann das gar nicht sein, weil es wenig gibt, worunter man wählen könnte. Die Diät eines Lamas besteht aus guter, bekömmlicher Nahrung, aber in der Regel besteht sie aus *nur einer Art von Nahrung zu jeder Mahlzeit.* Das allein ist schon ein wichtiges Geheimnis der Gesundheit.

Unterschiedliche Nahrungsarten, wie beispielsweise Kohlehydrate und Eiweiß, werden im Magen auch auf völlig unterschiedliche Weise verdaut. Wird deshalb ein kohlehydratreiches Nahrungsmittel wie Brot mit einem eiweißhaltigen wie Fleisch gegessen, erschwert das eine die Verdauung des anderen. Letzten Endes werden dann weder das Brot noch das Fleisch vollständig verdaut, und ein großer Teil des Nährwertes geht verloren. Es kommt zu Völlegefühl und anderen körperlichen Beschwerden, und wertvolle Energie, die besser genutzt werden könnte, wird dabei sinnlos verschwendet. Geht das jahrelang so weiter, wird sich der gesundheitliche Zustand des Verdauungsapparats verschlechtern, die allgemeine Gesundheit wird darunter leiden, und das Leben wird unnötig verkürzt werden.

Wenn man aber immer nur eine Nahrungsart pro Mahlzeit ißt, kann es im Magen keine Verdauungsprobleme geben. Die Nahrung wird ohne großen Energieverlust problemlos verdaut, und der Körper wird mit weniger Nahrung besser genährt.

Viele Male setzte ich mich in der Speisehalle des Klosters mit den Mönchen an den Tisch zu einem Mahl, das *nur* aus Brot bestand. Dann wieder aßen wir nichts als Gemüse und Obst,

46

wie es geerntet worden war. Bei anderen Mahlzeiten aß ich nichts als *gekochte* Gemüse und Früchte.

Zuerst hatte ich großes Verlangen nach meinen gewohnten Mahlzeiten und der Vielfalt von Nahrungsmitteln, an die ich gewöhnt war; aber es dauerte nicht lange, und ich konnte eine Mahlzeit essen und genießen, die aus nichts anderem als aus dunklem Brot bestand oder nur aus einer Sorte Obst. Manchmal schien eine Mahlzeit, die aus nur einer Sorte Gemüse bestand, ein Festessen zu sein.

Ich will damit nicht vorschlagen, daß Sie sich auf eine Ernährungsweise beschränken, die aus nur einer Art von Nahrungsmittel pro Mahlzeit besteht, oder auch nur, daß Sie Fleisch aus Ihrer Ernährung streichen. Aber ich würde empfehlen, daß Sie Kohlenhydrate, Obst und Gemüse bei Ihren Mahlzeiten von Fleischwaren, Fisch und Geflügel getrennt halten. Es ist in Ordnung, bei einer Mahlzeit nur Fleisch zu essen. Wenn Sie das wünschen, können Sie bei einer Mahlzeit auch verschiedene Arten von Fleisch essen. Und es ist auch in Ordnung, Butter, Eier und Käse zu einem Fleischgericht zu essen und, wenn Sie wollen, dazu Kaffee oder Tee in Maßen zu trinken. Aber Sie dürfen die Mahlzeit nicht mit etwas Süßem oder Kohlenhydratreichem abschließen – keine Torten, Kuchen oder Puddings.

Butter scheint neutral zu sein. Man kann sie sowohl mit Kohlenhydraten als auch mit Eiweißgerichten essen. Milch paßt besser zu Kohlenhydraten. Kaffee und Tee sollten immer schwarz getrunken werden, nie mit Sahne, obwohl es nicht schaden wird, in geringem Maße zu süßen.

Allerdings sollte im allgemeinen weitgehend auf Fett verzichtet werden, auch wenn es nicht ganz aus der Ernährung gestrichen werden muß. Die schädlichen Fette sind tierischen Ursprungs, während die nützlichen in Samen und Nüssen, Getreide, Obst und Gemüse enthalten sind. Eine geringe Menge Butter ist ebenso erlaubt wie mageres Fleisch in kleinen Mengen. Aber es ist am besten, ganz auf Schweinefleisch zu verzichten.

Raffinierter Zucker und Nahrungsmittel, die raffinierten Zucker enthalten, sollten nur sehr selten konsumiert werden. Statt dessen können Honig und natürliche Süßigkeiten verwendet werden, aber auch diese sollten nie im Übermaß genossen werden.

Die angemessene Verwendung von Eiern war eine andere interessante und nützliche Sache, die ich während meines Aufenthalts im Kloster lernte. Die Lamas pflegten keine ganzen Eier zu essen, es sei denn, sie hatten harte körperliche Arbeit zu verrichten. Dann aßen sie manchmal ein ganzes, mittelweich gekochtes Ei. Aber sie aßen häufig rohen Eidotter, ohne das Eiweiß. Zuerst schien es mir die Verschwendung eines ausgesprochen guten Nahrungsmittels zu sein, das Eiweiß den Hühnern vorzuwerfen. Aber dann lernte ich, daß Eiweiß nur von den Muskeln verwertet wird und deshalb nur gegessen werden sollte, wenn die Muskeln angestrengt werden.

Ich hatte schon immer gewußt, daß Eigelb nahrhaft ist, aber seinen wahren Wert lernte ich erst kennen, nachdem ich mit einem anderen Mann aus dem Westen gesprochen hatte, der im Kloster lebte und Kenntnisse in Biochemie hatte. Er sagte mir, daß gewöhnliche Hühnereier tatsächlich die Hälfte all der Elemente enthalten, die für das Gehirn, die Nerven und die Organe des Körpers erforderlich sind. Es stimmt, daß diese Elemente nur in geringen Mengen benötigt werden, aber sie müssen in der Ernährung enthalten sein, wenn man außergewöhnlich kräftig und gesund sein will, sowohl geistig wie auch körperlich.

Noch eine sehr wichtige Sache lernte ich von den Lamas. Sie lehrten mich, wie wichtig es ist, langsam zu essen, nicht um guter Tischmanieren willen, sondern um die Nahrung gründlicher zu zerkauen. Das Kauen ist der erste wichtige Schritt bei der Verdauung der Nahrung, damit sie vom Körper verwertet werden kann. Alles was man ißt, sollte *im Mund verdaut* werden, bevor es im Magen verdaut wird. Wenn man Essen hinunterschlingt und diesen entscheidenden Schritt dabei übergeht, ist es buchstäblich Dynamit, wenn es in den Magen gelangt.

Proteinreiche Nahrungsmittel wie Fleisch, Fisch und Geflügel erfordern weniger Kauen als komplexe Kohlenhydrate. Trotzdem ist es gut, auch sie gründlich zu kauen. Je vollständiger die Nahrung zerkaut wird, desto nahrhafter ist sie. Das bedeutet, daß Sie durch gründliches Kauen die Menge Ihrer Nahrung oft um die Hälfte reduzieren können.

Viele Dinge, die ich als selbstverständlich angesehen hatte, bevor ich in das Kloster kam, schienen mir schockierend, als ich es zwei Jahre später wieder verließ. Eines der ersten Dinge, die mir auffielen, als ich in einer der Großstädte Indiens eintraf, waren die großen Nahrungsmengen, die jeder verspeiste, der es sich leisten konnte. Ich sah einen Mann, der bei nur einer Mahlzeit eine Nahrungsmenge aß, die ausgereicht hätte, um vier hart arbeitende Lamas zu verköstigen und vollständig zu ernähren. Aber die Lamas würden natürlich nicht im Traum daran denken, ihren Mägen die Kombinationen von Nahrungsmitteln zuzuführen, die dieser Mann verspeiste.

Die Vermengung von Nahrungsmitteln in einer Mahlzeit war eine andere Sache, die mich entsetzte. Daran gewöhnt, ein oder zwei Nahrungsmittel pro Mahlzeit zu essen, verblüffte es mich, eines Abends auf der Tafel meines Gastgebers 23 verschiedene Arten von Nahrungsmitteln zu zählen. Kein Wunder, daß die Menschen im Westen eine so miserable Gesundheit haben. Sie scheinen wenig oder gar nichts über die Beziehung zwischen Ernährung einerseits und Gesundheit und Kraft andererseits zu wissen.

Die richtigen Nahrungsmittel, die richtigen Kombinationen und die richtige Menge von Nahrungsmitteln bringen in Verbindung mit der richtigen Eßweise wunderbare Ergebnisse hervor. Wenn Sie Übergewicht haben, werden sie Ihnen helfen abzunehmen. Und wenn Sie Untergewicht haben, werden sie Ihnen helfen zuzunehmen. Es gibt noch eine ganze Reihe anderer Punkte über Nahrung und Ernährung, auf die ich gerne eingehen würde, aber aus Zeitmangel ist dies nicht möglich. Merken Sie sich nur diese fünf Dinge:

(1) Essen Sie nie Kohlenhydrate und Fleisch bei derselben Mahlzeit, obwohl es Ihnen jetzt möglicherweise nicht allzu viele Beschwerden verursacht, solange Sie stark und gesund sind.

(2) Wenn Kaffee Ihnen Beschwerden verursacht, trinken Sie ihn schwarz, ohne Milch oder Sahne. Wenn er Ihnen immer noch Verdruß bereitet, streichen Sie ihn aus Ihrer Ernährung.

(3) Kauen Sie Ihr Essen, bis es flüssig ist, und reduzieren Sie die Nahrungsmenge, die Sie essen.

(4) Essen Sie jeden Tag einmal rohes Eigelb. Essen Sie es entweder unmittelbar vor oder unmittelbar nach dem Essen – nicht während des Essens.

(5) Reduzieren Sie die Vielfalt an Nahrungsmitteln, die Sie bei einer Mahlzeit essen, auf ein Minimum.»*

«Es ist ganz einfach, in einer komplizierten Welt einfach zu leben», fuhr Colonel Bradfort fort. «Nur weil die Welt so kompliziert ist, muß man ja bei diesem Spiel nicht auch noch mitmachen. Statt dessen sollten Sie sich in Ihrer Ernährung und allen Fragen, die Ihre geistige und körperliche Gesundheit betreffen, von ganz einfachen Grundsätzen leiten lassen.»

---

* Rohes Eigelb sollte nur dann verzehrt werden, wenn es von frischen Eiern aus artgerechter Bodenhaltung stammt. Ein Großteil der Eier, die aus Legebatterien stammen, sind heute mit Salmonellen und anderen Keimen verseucht.

Die oben genannten Hinweise für energiespendende einfache Mahlzeiten sind weiterentwickelt worden in dem anregenden Rezept- und Ernährungsbuch von Devanando O. Weise und Jenny P. Frederiksen: Die Fünf »Tibeter«-Feinschmecker-Küche – Mit 144 Rezepten auf der Basis von Trennkost und mehr (Bern und München ^{9}1998).

VIERTER TEIL

Ein schwacher Körper
schwächt den Geist.
Jean-Jacques Rousseau

Die Energie der Stimme

Colonel Bradford sprach ein letztes Mal zum «Himalaja-Klub», bevor er in andere Teile der Vereinigten Staaten und in seine Heimat England abreiste. Die Wahl seines Themas war auf verschiedene Dinge gefallen, die außer den fünf Riten den Verjüngungsprozeß unterstützen. Und als er vor der Gruppe stand, schien er drahtiger, frischer und vitaler zu sein als je zuvor. Unmittelbar nach seiner Rückkehr aus Indien hatte er den Anschein erweckt, die Vollkommenheit in Person zu sein. Aber seitdem hatte er weitere Fortschritte gemacht, und sogar jetzt schien er noch hinzuzugewinnen.

«Zuallererst», sagte der Colonel, «muß ich mich bei den Frauen in unserer Gruppe entschuldigen, denn vieles von dem, was ich heute abend zu sagen habe, wird auf Männer bezogen sein. Selbstverständlich sind die fünf Riten, die ich Sie gelehrt habe, Männern und Frauen in gleicher Weise zuträglich. Aber da ich selbst ein Mann bin, würde ich gerne über ein Thema sprechen, das auch für andere Männer von Bedeutung ist.

Ich werde zunächst über die männliche Stimme sprechen. Wissen Sie, daß manche Experten sagen können, wieviel sexuelle Vitalität ein Mann besitzt, einfach dadurch, daß sie ihm beim Reden zuhören? Wir haben alle schon die schrille, piepsende Stimme eines Mannes im fortgeschrittenen Alter gehört. Wenn die Stimme eines älteren Menschen diese Tonlage anzunehmen beginnt, dann ist das unglücklicherweise ein sicheres Zeichen dafür, daß der körperliche Verfall schon ziemlich fortgeschritten ist. Lassen Sie mich dies erklären.

Der fünfte Energiewirbel im Halsbereich regiert die Stimmbänder, und er hat eine direkte Verbindung zum zweiten Energiewirbel im Sexualzentrum des Körpers. Natürlich stehen alle Wirbel miteinander in Verbindung, aber diese beiden sind sozusagen miteinander verzahnt. Was den einen beeinflußt, beeinflußt auch den anderen. Wenn deshalb die Stimme eines Mannes hoch und schrill ist, so ist dies ein Anzeichen dafür, daß seine sexuelle Vitalität gering ist. Und wenn die Energie in diesem zweiten Wirbel gering ist, dann können Sie darauf wetten, daß sie auch in den anderen sechs Wirbeln nur mangelhaft vorhanden ist.

Nun, alles was nötig ist, um den zweiten und den fünften Wirbel zu beschleunigen, und mit ihnen alle anderen, ist, die fünf Riten zu üben. Aber es gibt noch eine andere Methode, die Männer anwenden können, um den Prozeß zusätzlich zu beschleunigen. Sie ist ganz einfach. Alles was erforderlich ist, ist Willenskraft. Sie brauchen nur die bewußte Anstrengung zu unternehmen, Ihre Stimme tiefer zu machen. Hören Sie sich selbst beim Reden zu, und wenn Sie hören, daß Ihre Stimme höher und schriller wird, stellen Sie sie auf eine tiefere Stimmlage ein. Hören Sie Männern zu, die eine gute, feste Sprechstimme haben, und merken Sie sich den Klang. Und versuchen Sie dann, immer wenn Sie sprechen, Ihre Stimme so gut wie möglich in dieser männlichen Stimmlage zu halten.

Für einen sehr alten Mann wird dies eine ziemliche Herausforderung darstellen, aber die Belohnung ist, daß es ausgezeichnete Ergebnisse hervorbringt. Es wird nicht lange dauern, bis die tiefere Schwingung Ihrer Stimme den Energiewirbel an der Halsbasis beschleunigen wird. Dies wiederum wird dazu beitragen, den Energiewirbel im Sexualzentrum zu beschleunigen, der das Tor des Körpers zur vitalen Lebensenergie ist. Wenn diese Energie stärker aufwärts fließt, wird sich der Wirbel in der Kehle noch schneller drehen und damit der Stimme helfen, noch tiefer zu werden, und so weiter.

Es gibt junge Männer, die jetzt kräftig und männlich erscheinen, die aber unglücklicherweise nicht lange so bleiben werden. Dies kommt daher, daß ihre Stimmen nie völlig ausgereift und ziemlich hoch geblieben sind. Diese Männer können ebenso wie die älteren, von denen ich gesprochen habe, ausgezeichnete Ergebnisse erzielen, wenn sie die bewußte Anstrengung machen, ihre Stimmlage zu senken. Bei einem jungen Mann wird dies dazu beitragen, die Männlichkeit zu erhalten, und bei einem älteren, sie zu erneuern.

Vor einiger Zeit stieß ich auf eine ausgezeichnete Stimmübung. Sie ist, wie andere wirkungsvolle Dinge auch, ganz einfach. Immer wenn Sie allein sind, oder wenn die Lärmkulisse ausreicht, Ihre Stimme zu übertönen, so daß Sie andere nicht stören, üben Sie mit leiser Stimme, zum Teil durch die Nase, ‹Mimm – Mimm – Mimm – Mimm› zu sagen. Wiederholen Sie es immer wieder, und bringen Sie Ihre Stimme dabei schrittweise immer tiefer, bis Sie sie so tief gezwungen haben, wie Sie nur irgend können. Es ist wirkungsvoll, dies als allererstes am Morgen zu üben, wenn sich die Stimme für gewöhnlich sowieso in einem tieferen Register befindet. Und dann bemühen Sie sich, Ihre Stimme für den Rest des Tages in einer tiefen Stimmlage zu halten.

Sobald Sie anfangen, Fortschritte zu machen, üben Sie im Badezimmer, damit Sie hören können, wie Ihre Stimme zurückgeworfen wird. Versuchen Sie dann, die gleiche Wirkung in einem größere Raum zu erzielen. Wenn die Schwingung Ihrer Stimme intensiviert ist, wird sie bewirken, daß sich die anderen Wirbel im Körper schneller drehen, vor allem der zweite im Sexualzentrum und der sechste und der siebte im Kopf.

Auch bei älteren Frauen kann die Stimme hoch und schrill werden, und sie sollte auf gleiche Weise tiefer gestimmt werden. Natürlich ist eine Frauenstimme von Natur aus höher als die eines Mannes, und Frauen sollten nicht versuchen, ihre Stimmlage so weit zu senken, daß sie männlich klingt. In der Tat wäre es für eine Frau, deren Stimme ungewöhnlich männlich klingt, sogar vorteilhaft, wenn sie versuchen würde, ihre Stimmlage mit der beschriebenen Methode anzuheben.

Die Lamas singen, manchmal stundenlang, unisono in einer tiefen Tonlage. Die Bedeutung liegt dabei nicht im Singen selbst oder in der Bedeutung der Worte, sondern in der Schwingung ihrer Stimmen und deren Wirkung auf die sieben Chakren. Vor Tausenden von Jahren entdeckten die Lamas, daß die Schwingungsfrequenz des Klanges ‹Oh-mmm ...› besonders mächtig und wirkungsvoll ist – der berühmte Laut OM. Männer wie Frauen werden es als höchst zuträglich erleben, diesen Klang zumindest einige Male jeden Morgen zu singen. Noch hilfreicher ist es, ihn während des Tages zu wiederholen, wann immer Sie können.

Füllen Sie Ihre Lungen vollständig mit Luft, und stoßen Sie den ganzen Atem, aufrecht stehend, langsam wieder aus, um dabei einen langen ‹Oh-mmm-Klang› zu erzeugen. Teilen Sie den Atem dabei etwa halb und halb zwischen dem ‹Ohhh ...› und dem ‹Mmmm ...›. Fühlen Sie das ‹Ohhh ...› durch den Brustraum vibrieren und das ‹Mmmm ...› durch den Nasenraum.

Diese einfache Übung trägt in hohem Maße dazu bei, die sieben Wirbel aufeinander einzustellen, und Sie werden die wohltuende Wirkung dieser Übung fast von Anfang an spüren können. Vergessen Sie nicht, daß es die Schwingung der Stimme ist, auf die es dabei ankommt, nicht auf das Singen als solches oder die Bedeutung des Klangs.»

Das Wunder wirkt weiter

«Alles, was ich Sie bisher gelehrt habe», sagte der Colonel, nachdem er einen Moment innegehalten hatte, «betraf die sieben Chakren. Jetzt aber würde ich gerne noch auf ein paar Dinge zu sprechen kommen, die uns alle viel jünger machen können, obwohl sie nicht direkt mit diesen Energiewirbeln zusammenhängen.

Wenn es möglich wäre, einen alternden Mann oder eine alternde Frau plötzlich aus ihrem altersschwachen Körper herauszunehmen und in einen neuen, ungefähr 25 Jahre jungen Körper zu stecken, wäre ich bereit zu wetten, daß er oder sie auch weiterhin wie ein alter Mensch handeln und an der *Geisteshaltung* festhalten würde, die in erster Linie dazu beigetragen hat, sie alt zu machen.

Obwohl sich die meisten Menschen über das vorrückende Alter beschweren, ziehen sie in Wahrheit ein zweifelhaftes Vergnügen aus dem Altwerden und all den Behinderungen, die damit einhergehen. Selbstredend werden sie durch diese Einstellung nicht gerade jünger werden. Wenn ein älterer Mensch wirklich jünger werden will, muß er *denken, handeln und sich benehmen wie ein jüngerer Mensch* und die Einstellungen und Manierismen des Alters hinter sich lassen.

Das erste, worauf es zu achten gilt, ist Ihre Körperhaltung. Richten Sie sich auf! Als Sie zum ersten Mal in diese Gruppe kamen, waren manche von Ihnen so vornüber gebeugt, daß Sie wie Fragezeichen aussahen. Aber als die Vitalität zurückzukehren begann und sich Ihre Lebensgeister wieder regten, besserte sich auch Ihre Haltung. Das war gut, aber bleiben Sie jetzt nicht stehen. Denken Sie an Ihre Haltung, wenn Sie Ihren täglichen Angelegenheiten nachgehen. Halten Sie Ihren Rücken gerade, werfen Sie sich in die Brust, ziehen Sie das Kinn an, und halten Sie den Kopf hoch. Und mit einem Schlag haben Sie Ihre Erscheinung um 20 Jahre verjüngt und Ihr Verhalten um 40.

Befreien Sie sich auch von den Altersmanierismen. Wenn Sie gehen, seien Sie sich zuerst im klaren darüber, wohin Sie gehen; gehen Sie dann los und direkt darauf zu. Schlurfen Sie nicht; heben Sie Ihre Füße, und schreiten Sie aus. Behalten Sie Ihr Ziel in einem Auge und alles, woran Sie vorbeikommen, im anderen.

In dem Kloster im Himalaja war ein Mann, aus dem Westen wie ich, bei dem Sie geschworen hätten, daß er nicht über 35 sei, und er handelte wie ein Mann von 25. In Wirklichkeit war er über 100 Jahre alt. Wenn ich Ihnen verraten würde, wie viel über 100, würden Sie es mir nicht glauben.

Wenn Sie diese Art von Wunder vollbringen wollen, müssen Sie zuerst das *Verlangen* haben, es zu tun. Dann müssen Sie die Vorstellung akzeptieren, daß es nicht nur wahrscheinlich, sondern absolut *sicher* ist, *daß Sie es vollbringen werden*. Solange das Ziel, jünger zu werden, für Sie ein unmöglicher Traum ist, wird es genau das bleiben. Aber wenn Sie sich die wunderbare Wahrheit vollkommen zu eigen machen, daß Sie tatsächlich in Ihrer Erscheinung, Gesundheit und Einstellung jünger werden können, und wenn Sie dieser Wahrheit durch zielgerichtetes Verlangen Energie verleihen, dann haben Sie bereits den ersten Schluck aus den heilenden Wassern der ‹Quelle der Jugend› getrunken.

Die fünf einfachen Riten, die ich Sie gelehrt habe, sind ein Werkzeug oder ein Mittel, das Sie befähigen kann, Ihr eigenes persönliches Wunder zu wirken. Schließlich sind es die einfachen Dinge des Lebens, die am stärksten und am wirkungsvollsten sind. Wenn Sie diese Riten weiterhin nach Ihrem besten Vermögen ausüben, werden Sie mehr als reichlich belohnt werden.»

«Es war höchst befriedigend zu sehen, wie jeder von Ihnen täglich Fortschritte machte», schloß der Colonel. «Für jetzt habe ich Sie alles gelehrt, was ich kann. Aber während die fünf Riten weiterhin ihre Arbeit tun, werden sie auch künftig Türen zu weiterem Lernen und Fortschritt öffnen. In der Zwischenzeit gibt es andere, die das Wissen benötigen, das ich Sie gelehrt habe, und es ist Zeit, daß ich mich auf den Weg zu ihnen mache.»

Hier sagte der Colonel uns allen Lebewohl. Dieser außergewöhnliche Mann hatte sich einen ganz besonderen Platz in unseren Herzen errungen, und so tat es uns natürlich leid, ihn gehen zu sehen. Aber wir waren auch froh zu wissen, daß in Kürze andere Menschen an dem unschätzbaren Wissen teilhaben würden, das er so großzügig mit uns geteilt hatte.

Wir schätzten uns wirklich glücklich, denn in der gesamten Geschichte der Menschheit war bisher nur wenigen das Privileg zuteil geworden, das alte Geheimnis der «Quelle der Jugend» zu erfahren.

FÜNFTER TEIL
DAS VERLORENE KAPITEL

Alles, was ist, entstammt dem Geist,
es beruht auf Geist
und wird durch Geist geformt.
Buddha

An dieser Stelle endete bisher das Buch – im Einklang mit der Ori-
ginalausgabe The Eye of Revelation *von 1939.*

Acht Jahre später allerdings wurde der Text von Peter Kelder über-
arbeitet und ein weiteres Kapitel mit dem Titel Die Magie des heiligen Klangs *hinzugefügt. Es war nicht bekannt, daß noch Exemplare*
dieser Ausgabe existierten, bis vor kurzem ein Buch in der Privat-
sammlung des Autors gefunden wurde.

In dieser Neuausgabe der Fünf »Tibeter« werden erstmalig die
Änderungen des Autors im Haupttext und das bisher unbekannte
Kapitel aus dem Jahre 1947 dem deutschsprachigen Publikum zu-
gänglich gemacht.

Dieses Kapitel, von dem bisher nur einige Eingeweihte vermuteten,
daß es überhaupt existiere und neue Informationen enthielte, wird
allgemein das «verlorene Kapitel» genannt.

Die Magie des heiligen Klangs

Ab und zu erhielt der Himalaja-Klub eine bemerkenswerte, wenn auch kurze Mitteilung von Colonel Bradford. Er hielt überall auf der Welt Vorträge, blieb aber nie lange an ein und demselben Ort.

Eines Tages erreichte uns ein ziemlich langer Brief, der an alle Klubmitglieder gerichtet war und der neue, sehr interessante Informationen enthielt.

Die Überschrift, die Colonel Bradford seinem Brief gegeben hatte – «Die geistige Magie des Mantrams» –, erweckte unsere Neugier, da die meisten Mitglieder der Gruppe mit dem Begriff *Mantram* nicht vertraut waren, auch wenn einige meinten, sie hätten das Wort schon irgendwo einmal gelesen.

In seinem Brief erklärte der Colonel das Wort wie folgt: «Es besteht ein kleiner Unterschied zwischen den Begriffen *Mantra* und *Mantram*. Beide sind einem Sanskritwort entlehnt, das soviel wie ‹Instrument des Geistes› bedeutet. Der Unterschied besteht darin, daß ein Mantram ein laut geäußertes Instrument des Geistes ist, während ein Mantra lautlos ist.

Ganz gleich, ob es Ihnen bewußt ist oder nicht: Sie erschaffen und formen Ihr Leben durch Ihre Gedanken. Alle Dinge, die Teil Ihrer materiellen Wirklichkeit sind, wurden zuerst in Ihrem Geist aus dem Rohmaterial der Gedanken erschaffen. Weil ein Mantram ein Instrument des Geistes ist, ist es ein Hilfsmittel, das Sie benützen können, um Ihr Leben so zu gestalten, wie es Ihnen gefällt.

Um aber ein Mantram zu Ihrem eigenen Vorteil zu nutzen, müssen Sie zunächst den Geist und seine Arbeitsweise verstehen. Heute hört man häufig den Begriff ‹Unterbewußtsein›, aber nur wenige Menschen verstehen überhaupt, was damit gemeint ist. Statt ‹Unterbewußtsein› verwenden die Lamas ein Wort, das mit ‹Überbewußtsein› übersetzt werden könnte – gemeint ist also ein Bewußtsein höherer Ordnung. Die Funktion des Überbewußtseins ist es, Gedanken, die eine Form reiner Energie darstellen, so umzuwandeln, daß sie in der materiellen Welt Gestalt annehmen können.

Ich könnte ganze Bücher zu diesem Thema schreiben, jetzt aber brauchen Sie nur das folgende zu wissen: Ihr Überbewußtsein ist ein bereitwilliger Diener, dem Sie durch Ihre Denkmuster Befehle erteilen können. Immer wenn Sie einen Gedanken formen, geben Sie einen Befehl. Ihr Diener gehorcht Ihnen, indem er den Gedanken in der materiellen Welt manifestiert, wo er zu den Dingen und Ereignissen Ihres Lebens wird. Das bedeutet, daß die materielle Wirklichkeit ein Spiegelbild Ihrer Denkmuster darstellt. Wenn Sie Ihre Gedanken ändern, verändert sich auch das Bild im Spiegel, mit anderen Worten: Ihr Leben.

So einfach dieses Konzept auch ist, stellt es für viele Menschen doch ein ernstes Problem dar. Sie verweisen auf ein unglückliches oder gar tragisches Ereignis in ihrem Leben und weigern sich zu glauben, daß sie dieses durch ihre eigenen Gedanken hervorgebracht haben.

Wenn Sie Ihre Gedanken jedoch genau untersuchen, werden Sie ohne große Mühe negative Denkmuster entdecken können, die mit den positiven im Wettstreit liegen. In einem Moment sagen Sie: ‹Ich möchte glücklich sein›, aber schon im nächsten fallen Ihnen unzählige Rechtfertigungen ein, warum Sie unglücklich sind: Ihr Job verursacht Ihnen Streß, das Wetter ist schlecht, die Rechnungen stapeln sich, Sie haben Übergewicht, die Nachbarn sind zu laut, Sie kommen zu spät zu einer Verabredung und so weiter. Obwohl es Ihr Ziel ist, glücklich zu sein, arbeitet Ihr Verstand auf Hochtouren, um das Gegenteil zu erreichen.

Ein Mantram ist ein Hilfsmittel, das Sie benutzen können, um Ihre Denkmuster zu vereinheitlichen und sie ganz im Sinne Ihrer höchsten und nobelsten Wünsche auszurichten. Um dieses machtvolle Instrument zu benutzen, müssen Sie aber zunächst einmal die Wünsche definieren, die Ihnen das Leben erfüllen soll.

Es gibt eine ganz einfache Übung, die Ihnen dabei helfen kann. Sie benötigen dafür nur ein paar Minuten, und ich schlage vor, daß Sie sie einmal im Monat ausführen. Setzen Sie sich hin, und schreiben Sie die Dinge auf, die Sie sich am meisten wünschen. Denken Sie nicht lange darüber nach, was Sie sich wünschen *sollten*. Schreiben sie Ihre Wünsche statt dessen ganz schnell auf, und notieren Sie einfach alles, was Ihnen einfällt.

Als nächstes schauen Sie sich diese Liste aufmerksam an, und überlegen Sie sich, was es Ihnen im Endeffekt bringt, wenn sich jeder dieser Wünsche tatsächlich erfüllen sollte. Darum geht es Ihnen ja in Wirklichkeit, und deshalb sollten Sie sich dies auch aufschreiben. Wenn Sie beispielsweise geschrieben haben: ‹Ich wünsche mir einen besseren Job›, wünschen Sie sich im Endeffekt vielleicht die Annehmlichkeiten, die ein besserer Job mit sich bringt. Oder es geht Ihnen um die innere Befriedigung, die sich einstellt, wenn Sie Ihre Talente und Ihre Ausbildung adäquat einsetzen können. Vielleicht wollen Sie aber auch mehr Geld und finanzielle Sicherheit. Oder Sie sehnen sich einfach danach, in einer angenehmen, entspannten Atmosphäre zu arbeiten.

Das, was die Wunscherfüllung bei Ihnen auslöst, sollte immer in emotionalen Begriffen beschrieben werden, denn Gefühle, angenehme wie unangenehme, sind die Früchte Ihrer Lebenserfahrung, sozusagen der Gewinn, den sie daraus ziehen. Wenn Sie dereinst diese Welt verlassen, müssen Sie Ihre materiellen Schätze zurücklassen, aber Ihre Gefühle werden für immer bei Ihnen bleiben. Suchen Sie sich also sorgfältig aus, welche davon auf ewig Ihre Gefährten sein sollen.

Als nächstes schauen Sie sich die Liste Ihrer Wünsche und der Wunscherfüllungen noch einmal an. Gehen Sie sie von oben nach unten durch, und während Sie dies tun, suchen Sie nach zwei oder drei Begriffen, die alles auf der Liste zusammenfassen. Das scheint auf den ersten Blick unmöglich zu sein, aber wenn Sie genauer hinsehen, werden Sie erkennen, daß scheinbar ganz unterschiedliche Dinge ein gemeinsames Ziel haben. Teilen Sie Ihre Wünsche in zwei oder drei Gruppen auf, und finden Sie einen Begriff, der diese Gruppe angemessen beschreibt. Um ein einfaches Beispiel zu benutzen: Wenn Sie sich ein schöneres Haus, einen teuren Wagen oder neue Kleidung wünschen, dann ist das gemeinsame Ziel dieser drei Wünsche Wohlstand oder Fülle.

Danach sollten Sie eine klare Vorstellung Ihrer grundlegenden Ziele gewonnen haben. Fassen Sie diese jetzt zusammen, und formulieren Sie daraus einen einfachen Befehl. Der Befehl sollte positiv, kurz und direkt sein. Zum Beispiel: ‹Ich erhalte Jetzt Glück, Kraft und Wohlstand!› Mehr ist nicht nötig. Wenn Ihr Befehl ausgesprochen wird, verwandelt er sich in ein Mantram, oder einfacher gesagt, in ein Hilfsmittel, das Sie benutzen können, um Ihr Überbewußtsein zum Handeln zu veranlassen.

Der Begriff ‹Kraft› ist besonders wirksam, denn mit seiner Hilfe kann Ihr Körper gesund, stark und vital werden. Auf der geistigen Ebene, wird er Ihnen helfen, sich zum Meister Ihres Schicksals zu machen. Das Wort ‹Jetzt› teilt Ihrem Überbewußtsein mit, wann Sie diese Dinge möchten: Sie befehlen Ihrem Überbewußtsein, sofort damit zu beginnen, Ihre Wünsche zu erfüllen.

Wenn Sie ein Mantram haben, ist es ganz einfach, es auch anzuwenden. Sie müssen es nur laut und im Brustton der Überzeugung aussprechen. Seien Sie dabei nicht schüchtern! Fühlen Sie die Macht Ihrer Stimme, und sprechen Sie, als ob Sie einem dienstbaren Geist befehlen, Ihnen alles zu bringen, was Sie sich wünschen. Sobald Sie Ihr Mantram laut, ohne jedes Zögern und voller Überzeugung ausgesprochen haben, haben Sie alles Nötige schon getan.

Sprechen Sie Ihr Mantram, wenn Sie abends ins Bett gehen und morgens gleich nach dem Aufwachen. Machen Sie es sich zur Gewohnheit, es mehrmals am Tag in regelmäßigen Abständen zu wiederholen. Wenn Sie vor einem Spiegel stehen, schauen Sie sich selbst direkt in die Augen, und wiederholen Sie voller Überzeugung das Mantram.

In Ihrem Alltag sollten Sie aufmerksam beobachten, was Sie sagen und denken. Hüten Sie sich vor negativen Gedanken oder Worten, die Ihrem Überbewußtsein widersprüchliche Befehle erteilen, denn dies würde die positive Kraft des Mantrams neutralisieren. Wenn Sie sich dabei ertappen, hören Sie sofort damit auf, atmen Sie tief durch, und machen Sie die negativen Gedanken wirkungslos, indem Sie Ihr Mantram mit unerschütterlicher Überzeugung aussprechen.

Natürlich können Sie in Gegenwart anderer Menschen nicht plötzlich herausschreien: ‹Ich will Glück, Kraft und Wohlstand – jetzt sofort!› In solchen Fällen würde ich Ihnen raten, ein Mantra zu benutzen, das Sie innerlich wiederholen und über dessen Bedeutung Sie nachsinnen. Das ist zwar nicht ganz so wirksam wie das gesprochene Mantram, es können jedoch auch auf diese Weise gute Resultate erzielt werden.

Gleichgültig, ob Sie nun ein Mantram oder ein Mantra benutzen – es ist wichtig, sich folgendes vor Augen zu führen: Wenn Sie dem Überbewußtsein Befehle erteilen, müssen Sie sich nur auf das Endergebnis konzentrieren, das Sie herbeiwünschen. Versuchen Sie niemals, Ihrem Überbewußtsein zu diktieren, wie es seine Wunder wirken soll!

Das Überbewußtsein ist intelligenter und erfindungsreicher, als Sie es sich jemals vorstellen könnten. Wenn es in dem, was es bewirken will, einmal eine Richtung eingeschlagen hat, läßt es sich durch nichts entmutigen. Es gibt niemals auf, da es weiß, daß es unendlich viele andere Möglichkeiten gibt, ein beliebiges Ziel zu erreichen. Wenn Sie aber – aufgrund Ihrer momentanen Gedanken oder Ihrer eingefahrenen Denkweisen – versuchen, dem Überbewußtsein vorzuschreiben, wie es seine Arbeit tun soll, dann werden Sie seine Möglichkeiten einschränken und verhindern, daß es seine Magie entfalten kann.

Der überbewußte Bereich Ihres Geistes ist eine ganz wunderbare Sache. *Es ist viel leichter, ihn dazu zu bringen, für Sie zu arbeiten, als sich selbst dazu zu bringen, mit ihm zu arbeiten.* Man könnte sagen, es macht dem Überbewußtsein Freude, darauf hinzuarbeiten, daß Sie alles erreichen, was Sie sich wünschen. Ein Wunsch ist eine sehr mächtige Kraft, und wenn Sie ihn einsetzen, um Ihr Überbewußtsein zum Handeln anzuregen, kann dieses gar nicht anders, als Ihnen Ihre Herzenswünsche auf eine Weise zu erfüllen, die Sie sich überhaupt nicht vorstellen können.

Sie sollten aber noch eines wissen: Der überbewußte Bereich Ihres Geistes beurteilt Ihre Gedanken nicht, bevor er auf sie reagiert. Er unterscheidet nicht zwischen Schmerz oder Vergnügen, Kummer oder Glück, Gram oder Freude. Oder, um es anders zu formulieren: Für das Überbewußtsein gibt es keine angenehmen oder unangenehmen Gefühle. Es ist seine Aufgabe, Denkmuster in Materie umzuwandeln – *und zwar alle Denkmuster.* Diese Aufgabe könnte es gar nicht erfüllen, wenn es Ihre Gedanken zuerst in gut oder schlecht, glücklich oder unglücklich, wertvoll oder wertlos einteilen müßte.

Kurz gesagt läßt sich das wunderbar einfache Geheimnis, das Ihnen helfen wird, alles zu erreichen, was Sie sich wünschen, so formulieren: *Verändern Sie Ihre Denkmuster, und Sie verändern Ihr Leben.* Wenn Sie faszinierende Gedanken denken, wird das Überbewußtsein Ihr Leben mit faszinierenden Ereignissen erfüllen, anstatt mit langweiligen.»

Der siebte Ritus

Der Brief des Colonels ging folgendermaßen weiter: «Nun ist das Überbewußtsein zwar eine phantastische Sache, es kann aber nicht mit unsinnigen Gedanken arbeiten. Um wirksam zu sein, muß das Mantram also eine persönliche Bedeutung für Sie haben. Um dies sicherzustellen, sollten Sie zwei Dinge beachten:

Es ist erstens wichtig, daß Ihr Mantram Ihr persönliches Wachstum widerspiegelt. Wenn Sie also das Gefühl haben, daß Ihre persönliche Entwicklung zu einer Veränderung Ihrer Ziele geführt hat, dann passen Sie Ihr Mantram diesen Veränderungen an.

Das Mantram muß zweitens in einer Sprache formuliert werden, mit der Sie vollkommen vertraut sind. Ich erwähne dies, weil gewisse Lehrer aus dem Osten Mantrams bevorzugen, die zwar für Menschen, die die betreffenden asiatischen Sprachen sprechen, gut und hilfreich, für Menschen, die sie nicht verstehen, dagegen völlig nutzlos sind. Selbst wenn man ihnen die Bedeutung dieser Worte mitteilen würde, wären sie für ihr Überbewußtsein nichts als unverständliches Kauderwelsch, und es könnte nichts Gutes dabei herauskommen.

Es gibt allerdings eine Ausnahme. Ein bestimmtes Wort, das aus dem Osten stammt, hat eine magische Wirkung auf das Überbewußtsein, das Gehirn und das gesamte zentrale Nervensystem. Dieses Wort heißt *OM.* Eigentlich ist es gar kein Wort, sondern ein Klang, denn sein Wert liegt in seiner Klangschwingung und nicht in seiner Bedeutung. Daher wird jeder Mensch, der OM seiner Schwingung wegen verwendet, auch davon profitieren – und zwar unabhängig davon, welche Sprache er spricht oder versteht. Mit einer Einschränkung allerdings: Es kann nur ein Mensch davon profitieren, der auch bereit ist, eine so hohe und machtvolle Schwingung zu empfangen.

Der Gebrauch des OM – ich nenne dies den siebten Ritus – kann bei einem Menschen, der dazu innerlich bereit ist, außerordentliche Resultate hervorbringen. Wenn es korrekt intoniert wird, hat seine Schwingung eine außerordentlich stimulierende Wirkung auf die Zirbeldrüse, die mit dem siebten und höchsten Energiewirbel in Verbindung steht.

Allerdings sollte Ihre Zirbeldrüse nicht auf diese Weise angeregt werden, wenn Sie nicht bereit sind, Ihr Leben auf eine höhere Ebene hin auszurichten. So wie ein Same nicht in unfruchtbarem Boden wachsen kann, können Schwingungen einer höheren Ordnung nicht in einem Bewußtsein wirken, das noch nicht bereit ist, sie zu empfangen. Versuchen Sie daher nicht eher, den siebten Ritus zu üben, bis die ersten fünf Riten Ihr physisches und psychisches Wesen auf eine höhere Ebene gehoben haben. Ihre Schwingung muß so hoch sein, daß Sie sich von den negativen Wirkungen aller suchterzeugenden Drogen befreit haben. Dazu gehören auch Alkohol und Nikotin in jeder Form.

Um sich vorzubereiten, sollten Sie zunächst auf Ihre Ernährung achten. Sie sollte fett- und zuckerarm sein, da Zucker – ganz gleich in welcher Form – eng mit dem Alkohol verwandt ist. Stärkehaltige Nahrungsmittel können auch nachteilig sein, wenn sie nicht besonders gründlich gekaut werden. Wenn sie allerdings im Mund vorverdaut worden sind, können stärkehaltige Nahrungsmittel nicht länger schädlich sein, solange sie in vernünftigen Mengen genossen werden.

Am wichtigsten ist allerdings, daß Sie mehr Wasser als bisher trinken. Der gesunde Durchschnittsmensch sollte täglich etwa drei Liter reines Wasser am Tag zu sich nehmen. Das sind ungefähr zwölf bis fünfzehn Gläser. Wenn Sie kleiner oder größer als der Durchschnitt sind, sollten Sie entsprechend weniger oder mehr trinken. Fangen Sie aber nicht an, sofort so viel Wasser zu trinken. Statt dessen sollten Sie Ihre Wasseraufnahme ganz langsam über einen Zeitraum von 60 Tagen steigern.

Wasser reinigt nicht nur Ihren Körper von Schlacken und Schadstoffen, es ist auch ein ausgezeichneter Leiter von elektrischen Impulsen und Klangschwingungen. Beginnen Sie also zunächst damit, mindestens einen Monat lang mehr Wasser zu sich zu nehmen. Dann können Sie damit anfangen, den siebten Ritus zu üben, und Sie werden allen Grund haben, sich gute Resultate zu erhoffen.

Um diesen Ritus auszuführen, sollten Sie sich aufrecht hinstellen oder sich in einen bequemen Sessel setzen. Entspannen Sie sich völlig, aber fallen Sie nicht in sich zusammen. Bewahren Sie die aufrechte Haltung, und halten Sie das Kinn gerade, damit die Stimmbänder nicht eingeengt werden. Wenn Sie möchten, können Sie sich auch flach auf ein hartes Bett oder auf den Boden legen, aber Sie dürfen sich kein Kissen unter den Kopf legen, denn das würde den Kopf nach vorne schieben und dadurch die Bewegung Ihrer Stimmbänder einengen.

OM wird mit langem ‹O› gesprochen, wie das Wort *Rom*, nur ohne das ‹R›. Um diesen magischen Klang korrekt zu intonieren, atmen Sie zunächst ganz tief ein, ohne aber Ihre Lungen so weit zu füllen, daß Sie das Gefühl haben zu platzen. Dann sprechen Sie den Vokal *Oh-h-h...* mit einer tiefen, kräftigen, klangvollen Stimme. Ihr Mund sollte leicht geöffnet sein, Ihre Lippen rund. Ihre Zunge sollte sich hinten im Mund befinden und leicht gegen den hinteren Gaumen gehoben werden. Halten Sie dieses *Oh-h-h...* etwa fünf Sekunden lang. Dann fahren Sie fort, indem Sie Ihren Unterkiefer entspannen, den Mund schließen, die Lippen gerade halten und die Zunge flach im Mund entspannen, so daß der Klang *M-m-m-m-m-m...* entsteht. Halten Sie diesen Klang etwa zehn Sekunden lang.

Wenn Sie das *Oh-h-h...* ertönen lassen, sollten Sie Ihre Stimme durch den Brustraum erklingen hören; das *M-m-m-m-m-m...* sollte durch die Nebenhöhlen erklingen. Wenn Sie es richtig machen, werden sich die beiden Klänge zu einem einzigen *O-h-h-m-m-m-m-m-m...* vereinigen.

Wenn Sie zum Ende gekommen sind, entspannen Sie sich, und atmen Sie ein- oder zweimal ein und aus, bevor Sie den Laut

OM wiederholen. Drei- oder viermal hintereinander reichen völlig aus. Tun Sie des Guten nicht zuviel, und hören Sie sofort auf, wenn Ihnen auch nur im geringsten schwindlig werden sollte. Nach ungefähr einer Stunde wiederholen Sie das OM mehrmals. Anfangs sollten Sie diesen Ritus nicht öfter als zehnmal am Tag ausführen, selbst wenn Ihnen dabei nicht schwindlig wird. Für einen Anfänger ist es nicht gut, die Zirbeldrüse intensiv zu stimulieren.

Es ist am besten, wenn Sie Ihr persönliches Mantram nicht in derselben Sitzung benutzen, in der Sie den siebten Ritus ausführen. Dieser sollte nur dann geübt werden, wenn Ihr Geist ganz still und frei von allen Gedanken ist. Sie können den siebten Ritus allerdings mit einem Mantra kombinieren und dabei ausgezeichnete Resultate erhalten. Wenn Sie fünf Sekunden lang das *Oh-h-h...* des OM erklingen lassen, erlauben Sie Ihrem Geist, absolut still und ruhig zu sein. Wenn Sie dann zehn Sekunden lang *M-m-m-m-m-m...* intonieren, wiederholen Sie Ihr Mantra mehrmals mental.

Sie sollten das Mantra, das dieselben Worte wie das Mantram enthalten kann, schon vorbereitet haben, bevor Sie beginnen. Es sollte auf jeden Fall als Befehl zur Verwirklichung Ihrer grundsätzlichen Ziele formuliert werden. Achten Sie dabei ganz besonders darauf, daß es keine negativen Gedanken enthält oder Worte, die Ihre Anstrengungen wieder zunichte machen würden.

Da dieser Ritus so machtvoll ist, ist er nur für reife Menschen gedacht. Auf keinen Fall sollte er von Menschen unter 21 Jahren ausgeführt werden. Er wird denen am meisten nützen, die ein Alter erreicht haben, in dem sich die Lebensweisheit natürlich vertieft.

Es ist sogar so, daß ältere Männer und Frauen schnellere Fortschritte erzielen als jüngere, sobald sie begonnen haben, ihre Schwingungsfrequenz zu erhöhen. Das liegt zum Teil daran, daß sie gelernt haben, hinter die Ablenkungen und Illusionen der materiellen Welt zu schauen, in der die Freude so vergänglich ist wie ein welkes Blatt im Wind. Sie wissen, daß der wahre Lohn des Lebens nicht außerhalb ihrer selbst gefunden werden kann, sondern nur in jener Welt, die sich in ihrem Innern befindet.

Auf ihren inneren Reisen haben die Weisen längst vergangener Zeiten alle den siebten Ritus benutzt, um die Schwingungsfrequenz ihres Geistes und ihres Körpers zu erhöhen. Wenn auch Sie dies tun, wird Ihnen nicht nur die Jugend an Körper und Geist zuteil werden, sondern auch der Schatz unvergänglicher Weisheit.

Zum Schluß möchte ich Sie alle ermutigen, diese neue Herausforderung anzunehmen und auf der Stelle damit zu beginnen. Denn obwohl Sie wunderbare Fortschritte erzielt und viel erreicht haben, sind diese Dinge doch nichts im Vergleich zu den Wundern, die auf Sie warten, wenn Sie sich auf die Reise nach innen machen. Wenn Sie dies tun, wird es für Sie keine Rückkehr geben, denn direkt vor Ihnen liegen großartige Dinge. Sie brauchen nur zuzugreifen.

In treuer Verbundenheit
Colonel Bradford»

Nachdem die Mitglieder des Himalaja-Klubs diesen Brief erhalten hatten, hörten sie nie wieder etwas von Colonel Bradford. Sein Aufenthaltsort war nicht bekannt, und alle meine Versuche, ihn ausfindig zu machen, blieben ohne Erfolg.

Das einzige, was vermutlich mit einiger Sicherheit gesagt werden kann, ist, daß die Reisen des Colonels ihn in unbekannte Länder, zu unglaublichen Abenteuern und zu Wundern geführt haben müssen, die wir uns kaum vorstellen können.

DAS GEHEIMNIS,
DAS SIE BERGE VERSETZEN LÄSST

Auszüge aus Leserbriefen – ein Querschnitt

Schon nach dem ersten Tag habe ich mich anders gefühlt. Jetzt mache ich die Übungen seit über drei Wochen. Ich sehe jünger aus und fühle mich jeden Tag lebendiger ...

Ich merke sofort, wie sich meine Energie und mein Wohlbefinden verändern. Alles läuft leichter für mich, und bei meiner Arbeit werde ich nicht so schnell müde. Und das nur dann, wenn ich die Fünf »Tibeter« wirklich mache ...

Ich fühle mich nicht nur jünger, ich bekomme auch von Leuten, die mein Alter (73) kennen, zu hören, daß ich 20 Jahre jünger aussehe und auftrete. Mein Arzt ist 58 und schimpft, daß ich jünger aussehe als er, obwohl er regelmäßig Jogging macht. Ich empfehle dieses Buch jedem, der den Alterungsprozeß aufhalten möchte ...

Meine schwachen Gelenke sind kräftiger geworden, und meine Körperhaltung hat sich verbessert ...

Durch die Fünf »Tibeter« werden meine Muskeln kräftiger, und ich verliere Speckfalten. Es geht mir jetzt besser, und ich denke, daß es bald noch besser wird. Ich kann dieses Buch nur jedem empfehlen ...

Infolge einer schweren Rückenverletzung war ich fünf Jahre lang arbeitsunfähig. Ich hatte so große Schmerzen, daß ich daran dachte, mir das Leben zu nehmen. Das war, bevor ich Ihr Buch las. Inzwischen sind durch das Üben der Fünf »Tibeter« die Schmerzen zurückgegangen, ich kann wieder richtig gehen und habe sogar wieder Arbeit gefunden als Vorschullehrerin ...

Ich hatte ziemliche Probleme mit Kreuzschmerzen. Jetzt spüre ich nur noch ganz selten etwas davon ...

Seit mir die Fünf »Tibeter« gezeigt wurden, habe ich keinen Tag ausgelassen, und in meinem ganzen Leben ist es mir noch nicht so gut gegangen ...

Ich spüre, wie meine Verdauung besser wird. Auch mein Kopf fühlt sich klarer an. Ein großartiges Buch ...

Ich mache die Übungen jetzt seit drei Monaten und fühle mich jeden Tag jünger. Ich bin erst 30, deshalb sind die Veränderungen nicht so gewaltig wie bei Ihren älteren Lesern ...

Mehrere Patienten, die ich auf Ihr Buch hingewiesen hatte, berichteten mir später begeistert von ihren Erfahrungen. Daraufhin fing ich an, diese fünf Riten selbst zu praktizieren. Das war vor drei Wochen. Nach neun Tagen spürte ich eine deutliche Steigerung meiner Kraft und Ausdauer. Ich konnte jetzt ohne jede Anstrengung schwere Gepäckstücke die Treppe hochtragen.

Ich habe festgestellt, daß ich körperlich kräftiger geworden bin, und darüber hinaus, daß meine Augen besser sind, weil feuchter, wie es sonst nur mit Augentropfen möglich wäre ...

Ich erlebe zum ersten Mal, daß Erfahrungen anderer auch für mich stimmen ...

Jeder darf so viele Zweifel haben, wie er will. Mit der regelmäßigen Ausübung der Fünf »Tibeter« werden alle Zweifel schwinden ...

Das Übungsprogramm ist kurz genug, daß ich es vor dem Frühstück machen kann ...

Ich war reif für diese Erfahrungen und bin dankbar, sie jetzt zu empfangen ...

Ich fühle mich ausgeglichener. Da ich gleichzeitig die Trennkost praktiziere, nehme ich ab und fühle mich gesund ...

Mein Körper möchte nicht mehr ohne die Übungen sein, und «irgendwie» werde ich täglich daran erinnert ...

Pulsschlag und Blutdruck haben sich vollkommen normalisiert. Der Körper wird wunderbar durchwärmt ...

Im Schulter- und Nackenbereich habe ich seit Jahren solche Verspannungen, daß ich nicht mehr auf der Seite schlafen, konnte. Jetzt, nach einigen Wochen regelmäßigen Übens, sind die Schmerzen weg ...

Eine wunderbare Art, ein Stück Jugend wiederzugewinnen ...

Ich fahre froh zur Arbeit, nehme zwei Stufen auf einmal und finde meinen im erschöpften und depressiven Sumpf verschütteten Humor wieder. Ich danke dem Himmel für dieses Geschenk ...

Das Buch ist das beste, was ich den Menschen, die mir am Herzen liegen, zu ihrem Wohle geben kann ... Meine Allergien, Ödeme, Ekzeme sind verschwunden ...

Mein Leben ist farbiger und lichter geworden ...

Meine seit längerer Zeit anhaltenden Schlafstörungen sind so gut wie verschwunden, und die Rückenschmerzen sind erheblich zurückgegangen ...

Es tut sehr gut ... Ich weiß zwar nicht genau, was passiert, auf jeden Fall steigert sich mein Wohlempfinden jeden Tag. Vielen Dank ...

Die Übungen sind einfach und wunderbar nachzuvollziehen. Für mich besonders wertvoll: Sie ersetzen mir bei täglicher Anwendung den bisherigen wöchentlichen Gang zur Krankengymnastik ...

Meine Vitalität ist wunderbar im Fließen, ich komme mit weniger Nahrung aus, fühle mich äußerst gesund und voller Aktivität. Nach vier Wochen regelmäßigen Übens begannen am

Kopf Haare nachzuwachsen, wo vordem keine mehr waren. Mein Friseur konnte kaum fassen, welch «Wundermittel» ich wohl angewendet hatte.

Nebenbei bemerkt: Den Jahren nach gemessen, zähle ich ja eigentlich zu den sogenannten Senioren – aber zu den jung-gebliebenen! ...

Nach einer Trainer-Ausbildung

Körperlich habe ich das Gefühl, daß mir das Training mehr Beweglichkeit gebracht hat. Gleichzeitig die Erkenntnis, daß ich die körperliche Seite meiner spirituellen Entwicklung bislang massiv vernachlässigt habe.
Seelisch habe ich das Gefühl, «den Anschluß» gefunden zu haben; etwas, was ich bisher bei meinen mentalen Ubungen vermißt habe. Verbunden mit Freude.
Geistig empfinde ich mehr Klarheit, die Dinge erhalten eine neue Relation.

Ich habe mich nach dem Training «fit wie ein Turnschuh» gefühlt und übe die Fünf »Tibeter« regelmäßig, damit es so bleibt.
Ich bin ganz glücklich nach Hause geschwebt und kann seitdem besser geschehen lassen. Ich bin ruhiger geworden. Ich bin mehr bei mir.
Ich habe viel gelernt und will das weiter vertiefen.

Die fünf Riten sind für mich zum einen ein Weg, ohne Rücken-schmerzen zu leben, zum anderen viel, viel mehr.
Ich freue mich schon morgens darauf, die fünf Riten durchzu-führen, sie bringen mich in Harmonie mit mir selbst, sie lassen mich meinen Körper spüren, sind Meditation und Körper-beherrschung in einem. Wenn ich sie aus irgend einem Grund einmal nicht durchführen kann, fühle ich mich beraubt.

Was ich nie gedacht hätte ist eingetroffen. Ich habe überhaupt keine Lust auf Schokolade oder auf all das andere Zeug, was ich da so gegessen habe!!

Die Fünf »Tibeter« gehören heute in mein Leben wie die Ernährung. Ich schöpfe Kraft und Energie. Sollte ich aus irgend einem Grund einmal keine Möglichkeit haben, die Übungen zu machen, fehlt mir den ganzen Tag etwas, und abends bin ich ungewohnt früh müde und ausgelaugt.

Das Leben ist wieder so herrlich, so farbig, so intensiv. Ich hatte damals extrem viel auf Ihr Seminar gesetzt, war vor dem Kurs absolut am Ende und habe den Kurs als Rettungsanker gesehen. Die »Tibeter« geben mir sehr viel Energie. Das ist einfach grandios. Mein Leben ist mir neu geschenkt worden.

Die vorstehenden Auszüge werden hier mit Zustimmung der Leser/innen veröffentlicht. Die Namen und Anschriften sind dem Verlag bekannt.

Die Fünf »Tibeter« im Spiegel der Medien

Zum großen Erfolg der Fünf »Tibeter« haben nicht zuletzt die Medien beigetragen. Seit 1990 sind die Riten in meist positiven Berichten in der Presse, in Rundfunk- und Fernsehsendungen vorgestellt worden, so z.B. im ZDF-Gesundheitsmagazin oder in der Fliege-Talkshow. Es gibt auch immer wieder Prominente – Schauspieler und Politiker – die sich öffentlich zu den Fünf »Tibetern« bekennen. Judith Adlhoch, populäre Moderatorin des TV-Reisemagazins Vox Tours, führte in einem Interview ihr jugendlich strahlendes Aussehen auf das regelmäßige Üben der Fünf »Tibeter« zurück *(Für Sie, 9/98)*. Und Uta Schorn, vor allem in den Neuen Bundesländern eine sehr beliebte Schauspielerin und TV-Moderatorin, führte die Riten im Fernsehen (ORB, Mai 1998) zusammen mit ihrer Tochter vor und erläuterte die positive Auswirkung auf die Gesundheit. In einer TV-Zeitschrift erklärte sie: «Ich übe 20 Minuten, für Anfänger genügen 10. Man kann die Tibeter noch mit 60 erlernen, braucht auch bei Rückenproblemen keine Angst zu haben.» (Super-TV Besser Leben, 13. 2. 1997)

Im Folgenden finden Sie zu den Fünf »Tibetern« noch einige Presse-Auszüge.

«Die Fünf »Tibeter« – Das Wohlfühlwunder.
Ausgeglichen, fit und voller Energie? Können Sie haben! Täglich nur eine Viertelstunde bringt Körper und Seele in Einklang. (…) Ziel sind weder Idealfigur noch Ausdauer, noch Gelenkigkeit (auch wenn diese Nebenwirkungen gelegentlich auftreten). Ziel ist ein neues Körperbewußtsein, das den Kopf wach macht und die Seele ins Gleichgewicht bringt.»
(*Fit For Fun*, März 1998)

«Wenn von fernöstlichen Heilmethoden die Rede ist, denkt man in erster Linie an Akupunktur oder Yoga. Diese an sich sehr wertvollen Techniken haben leider auch Nachteile: Sie erfor-

dern eine lange Ausbildungszeit und sind zeitaufwendig in der Anwendung. Die Fünf »Tibeter« dagegen sind rasch erlernt und doch hochwirksam.»
(*fit fürs Leben*, Magazin 4/97)

«Um ein gesundes und erfülltes Leben zu leben, ist es wichtig, unser Herz wieder als das zu betrachten und zu erfahren, was es tatsächlich ist: Nicht nur ein mechanisches, mehr oder weniger gut funktionierendes Körperorgan, sondern die Quelle unserer Lebenskraft, der Ursprung strömender Liebe, Weisheit und Lebensfreude.»
(*BIO* 97/6)

Alle die es lesen, sind fasziniert und neugierig, es gibt dabei nur ein Problem: Für Laien ist es fast unmöglich, die Übungen nur nach dem Buch richtig und gewinnbringend auszuführen, selbst wenn sie auf den ersten Blick recht einfach zu sein scheinen. Für die Wirkung der Übungen ist es nämlich entscheidend, Muskelanspannung, Atmung und Energiefluß aufeinander abzustimmen, sonst kann es zu übertriebener Anstrengung und unnötiger Verkrampfung kommen.

Wenn es aber gelingt, die Bewegungen leicht und fließend in Harmonie mit der Atmung, in langsamer Steigerung ihrer Anzahl, kombiniert mit den passenden Ausgleichsstellungen täglich zu üben, dann halten sie ohne Zweifel, was sie versprechen: Sie sind ein Schlüssel zu mehr Lebendigkeit und Körperbewußtsein, ein wirksames Fitness-Training – auch, aber nicht nur für den Körper, und wahrhaft ein Geheimtip für Langlebigkeit, Vitalität und Gesundheit.
(*Natürlich Gesund* 2/97)

Für mich sind diese Übungen wunderschön, denn sie geben mir das Gefühl, den Fluß der vitalen Lebensenergie ungehindert strömen zu lassen. Peter Kelder, der Autor dieses Buches hat uns Yogis um eine Erfahrung mehr bereichert. In seiner einfachen, liebenswerten und amüsanten Art enthüllte er die lang gehegten Geheimnisse. Habe ich Sie nun auch neugierig gemacht?
(*Wege zum Leben* II/97)

Seelen- und Körperschule aus dem Himalaja
(*DER SPIEGEL*)

Volksleiden Rückenschmerzen: Krank im Kreuz

Jeder dritte Deutsche klagt über Rückenschmerzen, das Leiden wurde zum häufigsten Grund für Klinikeinweisungen, Tag für Tag werden mehr als 100 Bandscheibenkranke operiert. Ärzte rätseln über die Ursache der «neuen Epidemie». Sitzen wir uns krank? Oder ist das deutsche Volk nur wehleidiger geworden?...

Dem «Haltesystem» des Menschen, ohnehin durch die Evolution labilisiert, fehlen zunehmend die notwendigen Trainingsreize, wie sie Fußmärsche und körperliche Arbeit bedeuten: Die Muskeln werden immer schwächer, ermüden rasch und können das wacklige System Wirbelsäule nicht mehr geradehalten...

Die ärztliche Vielgeschäftigkeit bei Rückenleiden – medizinisches Fachwort: «Polypragmasie» – sucht Arzt und Kranke mit den begrenzten Möglichkeiten der Hilfe zu versöhnen. Das ist bei Rückenschmerzen die erste Therapeutenpflicht; denn nicht nur die Leidenden rätseln über Ursache, Hilfsmaßnahmen und Verlauf, auch ihre weißbekittelten Helfer tappen im Dunkeln...

Zu den Geheimnissen der modernen Epidemie des Rückenschmerzes muß auch ihre nationale und soziale Verteilung gerechnet werden: in den Ländern der Dritten Welt sind Bandscheibenvorfälle nahezu unbekannt, obwohl keiner der Experten hierfür einen anatomischen Grund anzugeben vermag...

Von hundert Menschen, die irgendwann Rückenschmerzen spüren, suchen derzeit rund drei besonders Betroffene (oder besonders Vorsichtige) ärztlichen Rat. Die anderen verlassen sich auf Mutter Natur, auf die Spontanheilung oder den Tip eines medizinischen Laien...
(*DER SPIEGEL*, Nr. 23/91)

Die Fünf »Tibeter« richtig üben

Die Darstellung der »Tibeter« durch Herrn Kelder im ersten Teil dieses Buches gibt uns viele interessante Einblicke in das Wesen dieses Programmes und in das Leben der Mönche. Herr Kelder hat es verstanden, uns eine spannende Geschichte über Ursprung, Entstehung und Verbreitung der »Tibeter« zu erzählen. Richtigerweise hat er auch mehrmals darauf hingewiesen, daß sich die erhofften Wirkungen der »Tibeter« nur in dem Maße einstellen können, in dem die Übungen selbst angewandt werden. Um Ihnen einen reibungslosen Einstieg in die eigene Praxis zu ermöglichen und um denkbare Mißverständnisse oder Fehlerquellen auszuschließen, geben wir Ihnen hier eine kurzgefaßte, sachliche Beschreibung der Bewegungsabläufe. Es handelt sich dabei um eine gekürzte Darstellung der Bewegungsabläufe aus dem Buch *Fitness und Entspannung mit den Fünf »Tibetern«* von Arnold Lanz (Bern und München 1998).

Der Erste »Tibeter«

Der Erste »Tibeter« ist eine einfache ungezwungene Drehbewegung. Wie natürlich sie ist, sehen wir an Kindern, die sich mit Begeisterung immer wieder um die eigene Achse drehen. Wir Erwachsenen haben uns einen kleinen Teil dieser freudigen Bewegung erhalten, denn wenn wir ein großes Glücksgefühl ausdrücken wollen, dann beginnen wir zu tanzen und uns zu drehen.

So einfach und natürlich diese Bewegung auch ist: Vielen Menschen wird beim Drehen schwindlig. Aus diesem Grunde ist es wichtig, vor der Drehbewegung die Haltung zu überprüfen. Richten Sie beide Füße parallel aus. Halten Sie die Knie leicht gebeugt und richten Sie die Wirbelsäule gerade auf, das heißt, vermeiden Sie ein Hohlkreuz oder einen Rundrücken. Im Idealfall stehen Sie so gerade, als wären Sie am Scheitel an einem unsichtbaren Faden aufgehängt.

Aus dieser Grundhaltung heraus heben Sie beide Arme hoch, bis sie mit den Schultern eine waagrechte Linie bilden. Die Hände und Finger bilden die Fortsetzung dieser Linie. Die Finger liegen locker aneinander, die Handflächen zeigen nach unten. Atmen Sie jetzt aus, und beginnen Sie dann, während Sie einatmen, sich im Uhrzeigersinn zu drehen. Drehen Sie den Kopf gleichmäßig mit dem Körper. Atmen Sie während der Drehung ruhig und gleichmäßig weiter. Regulieren Sie die Drehgeschwindigkeit so, daß Ihnen möglichst nicht schwindlich wird. Schließen Sie die Drehung ab, indem Sie beide Handflächen etwa auf Brusthöhe zusammenführen und den Blick auf die zusammengehaltenen Daumen richten. Überprüfen Sie jetzt nochmals Ihre Haltung: Stehen die Füße hüftbreit und parallel? Sind die Knie leicht gebeugt? Ist die Wirbelsäule gerade aufgerichtet?

Ausgangshaltung Erster »Tibeter«:
Stehen Sie gerade, heben Sie die Arme
und Hände hoch, bis sie eine waag-
rechte Linie bilden und beginnen Sie
sich rechtsherum zu drehen.

Wenn Sie sich nach dieser Übung ausruhen möchten: Legen Sie sich auf den Rücken und entspannen Sie sich.

Sie werden feststellen, daß Ihr Körper nicht jeden Tag gleich reagiert. Heute ist er beispielsweise leistungsfähig, morgen wird Ihnen vielleicht schwindlig. Solche Unterschiede sind feine Hinweise auf das, was Ihr Körper erlebt hat. Indem Sie darauf achten, lernen Sie Ihren Organismus verstehen. Schwindelgefühle können über einen relativ langen Zeitraum auftreten. Lassen Sie sich dadurch nicht entmutigen, und geben Sie sich und Ihrem Körper genügend Zeit.

Beim Drehen wird im natürlichen Rhythmus ein- und ausgeatmet. Sehr vorteilhaft sind tiefe Atemzüge in den Bauch. Eine Verknüpfung zwischen Bewegung und Atmung erfolgt bei dieser Übung nicht. Den Ersten »Tibeter« dürfen Sie von Anfang an so häufig und so oft wie erwünscht ausführen. Überfordern Sie sich trotzdem nicht, und geben Sie Ihrem Organismus Gelegenheit, den möglicherweise auftretenden Schwindel im Laufe der Zeit abzubauen.

Mögliche Fehlerquellen beim Ersten »Tibeter« stammen meist aus der Haltung. Zur Wiederholung hier die wichtigsten Punkte: Achten Sie auf parallel ausgerichtete Füße, leicht gebeugte Knie, eine gerade aufgerichtete Wirbelsäule, lockere Schulter-Halspartie und möglichst gerade ausgestreckte Arme.

Der Zweite »Tibeter«

Der Zweite »Tibeter«, der im Liegen ausgeführt wird, ist eine effektive Muskeltherapie, insbesondere für die Bauch- und Rückenmuskulatur. Er dehnt die Beinmuskulatur, verleiht Ihnen bei konsequentem Üben ein schlankes, dynamisches, vitales Auftreten und hilft Ihnen zudem Ihre Verdauung zu aktivieren.

Legen Sie sich ganz entspannt auf den Rücken und legen Sie beide Arme, mit den Handflächen nach unten, neben den Körper. Auch im Liegen ist es wichtig, den Körper gerade zu halten. Die Füße bleiben hüftbreit ausgerichtet, das Becken ist so gekippt, daß die Wirbelsäule gerade und flach am Boden liegt, die Schultern sind locker, der Hals gedehnt; der Kopf gerade. Bitte achten Sie genau auf Ihre Wirbelsäule: Sie liegt vom Kreuz bis zu den Schultern ganz flach am Boden. Es bildet sich auch während der Übung weder ein Hohlkreuz noch ein Rundrücken.

Das flache Ablegen der Wirbelsäule gelingt Ihnen, wenn Sie am Boden liegend das Gesäß nach unten schieben. Dadurch kippt sich das Becken in die aufrechte Position, und die Wirbelsäule legt sich flach auf den Boden. Strecken Sie jetzt die Beine aus, ohne das Becken zu bewegen. Das ist die Ausgangsposition für den Zweiten »Tibeter«.

Bei dieser Übung werden Kopf- und Beinbewegungen miteinander koordiniert. Der Kopf wird aus der Ruheposition hochgehoben und ans Brustbein gezogen und danach wieder abgelegt. Beide ausgestreckten Beine werden geschlossen langsam und kontinuierlich hochgehoben, so weit es geht, bis sie – im Idealfall –

Zweiter »Tibeter«:
Der Kopf und die Beine sind
angehoben.

senkrecht stehen und damit einen rechten Winkel zu der am Boden liegenden Wirbelsäule bilden. Mit dem Anheben des Kopfes beginnen sich auch die Beine zu heben. Kopf und Beine verharren einen ganz kurzen Augenblick in der angehobenen Position und kehren danach langsam und gleichförmig zurück in die Ausgangslage. Achten Sie beim Üben auf runde, weiche Bewegungen. Lassen Sie die Beine nicht zurückfallen, sondern heben und senken Sie sie langsam mit der Kraft Ihrer Muskeln.

Sollten Sie beim Üben am Anfang Schwierigkeiten mit der Beinbewegung haben oder unter Rückenschmerzen leiden, gibt es eine Alternative: Ziehen Sie die Füße bis zum Gesäß, indem Sie die Knie anwinkeln. Heben Sie jetzt die Beine hoch, so weit es geht – im Idealfall in einem rechten Winkel zum Körper. Falten Sie nun die Beine in den Knien wieder zusammen und bewegen Sie die Füße vom Gesäß weg, das heißt, legen Sie die Beine wieder flach auf den Boden. Durch diese abgewandelte Übungsform werden Ihre Bauchmuskeln und das Rückgrat weniger belastet, denn sie müssen nicht das ganze Gewicht der ausgestreckten Beine tragen. Der Trainingserfolg stellt sich so natürlich etwas langsamer ein. Lassen Sie sich Zeit und spüren Sie, ob Sie später zu den ausgestreckten Beinen wechseln möchten.

Übungsvariante mit angewinkelten Knien.

Achten Sie bei dieser Übung auch auf Ihren Oberkörper: Nicht die Schulter, sondern nur der Kopf wird angehoben. Vermeiden Sie einen Rundrücken, reduzieren Sie, falls notwendig, die Kopfbewegung, und halten Sie Ihre Wirbelsäule im Bereich von den Schultern bis zum Kreuz flach am Boden.

Beim Zweiten »Tibeter« werden die Bewegungsabläufe mit der Atmung kombiniert. Dabei bewährt sich eine gleichmäßige

Atmung oder Atmung in den Bauch. Da Sie bei dieser Übung am Boden liegen, beobachten Sie jetzt einen Augenblick lang Ihre Atemzüge. Senkt sich beim Ausatmen die Bauchdecke zwischen die Beckenknochen und entsteht beim Einatmen ein kleiner Rundbauch? Anhand dieser äußeren Anzeichen können Sie die sehr positiv wirkende tiefe Bauchatmung überprüfen.

Die Übung beginnt mit einem tiefen Ausatmen. Gleichzeitig mit dem Einatmen beginnen Sie dann den Kopf und die Beine langsam zu heben. Sie atmen so lange ein, bis die Hubbewegungen den Höhepunkt erreicht haben. Diese Position halten Sie einen kurzen Augenblick, dann beginnen Sie auszuatmen und dabei gleichzeitig Kopf, Beine und Füße abzusenken. Wenn Ihr Körper wieder vollständig auf der Unterlage ausgestreckt liegt, ist das Ausatmen abgeschlossen, und Sie beginnen mit der nächsten Wiederholung: Einatmen und gleichzeitig Kopf, Beine und Füße heben, die Position kurz halten, und mit dem Ausatmen Kopf und Beine senken.

Vorsicht: Es gibt kein Verharren in der eingeatmeten und angespannten Lage. Andererseits dürfen Sie sich nach dem Ausatmen, also zwischen den einzelnen Hubbewegungen, ein oder auch mehrere Atemzüge lang ausruhen. Auch nach Abschluß der genannten Übung dürfen Sie am Boden liegen bleiben, um den Bewegungen nachzuspüren und in den Körper hineinzuhorchen.

Der Zweite »Tibeter« ist ein ideales Bauchmuskel-, Bein- und Fußtraining.

Um die Belastung für Ihre Lendenwirbelsäule zu verringern, können Sie die beschriebene Übungsvariante wählen. Achten Sie bitte außerdem strikt auf eine korrekte Liegehaltung vor und während der Übung. Liegen Sie ganz flach am Boden. Die Wirbelsäule hat von der Schulter bis zur Hüfte vollflächig Kontakt mit dem Boden. Dieser Kontakt reißt auch während den Bewegungen nicht ab, das heißt, Sie heben und senken tatsächlich nur den Kopf und nicht etwa die Schulter, und Sie heben und senken nur die Beine und Füße und vermeiden ein Hohlkreuz in jeder Phase der Bewegung.

Wenn Sie sich nach dieser Übung ausruhen möchten: Bleiben Sie in einer möglichst entspannten Rückenlage liegen und atmen Sie tief in den Bauch.

Der Dritte »Tibeter«

Der Dritte »Tibeter« ist eine Dehnungsübung für den ganzen Oberkörper. Der Raum für Lunge und Herz vergrößert sich, die Sauerstoffaufnahme wird erleichtert. Was körperlich eingeübt wird, überträgt sich auch auf die geistige Ebene und läßt allmählich Qualitäten wie Verständnis, Liebe und Begeisterung wachsen.

Für den Dritten »Tibeter« richten Sie sich vom Liegen zum Knien auf. Bitte benutzen Sie dabei nicht den Beinschwung, sondern rollen Sie sich seitlich auf eine Schulter, und richten Sie dann Ihren Körper mit Hilfe der Armmuskeln auf.

Achten Sie auch beim Knien auf Ihre Haltung. Stellen Sie die Zehen auf, halten Sie die Knie hüftbreit, und richten Sie den Oberkörper gerade auf, so daß er einen rechten Winkel zum Boden bildet. Überprüfen Sie jetzt die Becken- und Wirbelsäulenhaltung: Ist das Becken gerade gekippt, die Wirbelsäule aufgerichtet? Sind die Schultern locker, der Hals gedehnt? Damit die Dehnung des Oberkörpers gelingt, bilden wir im Beckenbereich eine solide Basis. Wir legen die Hände auf die Gesäßhälften und unterstützen so das Kreuz, das die Wirbelsäule trägt.

Beginnen Sie die Übung, indem Sie den Kopf auf das Brustbein senken. Dann führen Sie den Kopf langsam und behutsam

Dritter »Tibeter«:
Der Rücken ist nach hinten
gedehnt, der Mund steht
leicht offen.

in den Nacken. Gleichzeitig beginnen Sie langsam den ganzen Oberkörper nach hinten zu dehnen, indem Sie aus dem Kreuz heraus die ganze Länge der Wirbelsäule nach hinten beugen. Halten Sie die Gesäßhälften fest zusammengepreßt, und unterstützen Sie diese Haltung durch beide Hände. Öffnen Sie bei der Rückwärtsbeuge den Mund, damit der Bereich der Stimmbänder und der Schilddrüse nicht unangenehm spannt.

Halten Sie auch bei dieser Übung die Anspannung nicht an, sondern kehren Sie nach einem kurzen Verharren zurück in die Ausgangslage. Richten Sie den Oberkörper wieder gerade auf, und führen Sie den Kopf nach unten auf das Brustbein.

In der vollendeten Dehnhaltung bildet Ihre Wirbelsäule einen halbrunden Bogen. Sie sollten diese Übung aber langsam und behutsam angehen. Täglich einen Millimeter weiter zu dehnen führt zuverlässiger zum Ziel als ein Überdehnen. Vermeiden Sie ein Abknicken der Wirbelsäule im Kreuzbereich.

Mit dem Absenken des Kopfes auf das Brustbein atmen Sie kräftig aus. Mit dem Aufbau der Bewegung beginnt auch das Einatmen, das so lange dauert, bis die Rückwärtsbewegung abgeschlossen ist. Ist sie vollständig ausgeführt, beginnt das Ausatmen, das so lange dauert, bis der Oberkörper wieder gerade aufgerichtet und der Kopf auf das Brustbein gesenkt ist. Auch bei dieser Übung atmen wir also in die Spannung hinein und mit der Entspannung wieder aus.

Sie können die Anspannung der Gesäßmuskeln ergänzen durch Üben der Beckenboden-Muskulatur (Zusammenziehen und Lösen jener Muskeln, die den Harndrang kontrollieren). So beugen Sie Harninkontinenz vor.

Das Dehnen des Oberkörpers vergrößert den Raum für Herz und Lunge. So kann die Lunge sich voll ausdehnen und viel Sauerstoff aufnehmen, was Ihre Vitalität und Lebensenergie stärkt.

Achten Sie beim Dritten »Tibeter« insbesondere darauf, daß Sie sich nicht überfordern und daß Sie die Bewegung nicht zu rasch ausführen. Dehnung und damit Beweglichkeit wollen durch tägliches Training im Laufe der Zeit ausgebaut werden. Vergessen Sie nicht, Ihrer Wirbelsäule ein solides Fundament für die Dehnung zu geben, indem Sie die Muskeln im Bereich von Gesäß und Beckenboden straff anspannen.

Nach dieser Übung können Sie als Entspannungshaltung die Embryo-Stellung einnehmen. Legen Sie die Zehen ab, senken Sie das Gesäß so weit wie möglich auf die Fußsohlen ab, und beugen Sie Ihren Rücken langsam nach vorne, indem Sie die Stirn zwischen die Knie legen. Legen Sie die Arme lose und locker neben dem Körper ab. Atmen Sie in dieser Position tief in den Bauch und in die Nierenbecken. Entspannen Sie sich in dieser Position, und spüren Sie den Ausgleich zur Dehnung und Anstrengung.

Die Embryo-Haltung.

Der Vierte »Tibeter«

Diese Übung wirkt, neben dem rein körperlichen Training, gezielt und wohltuend auf die Verdauungs- und Ausscheidungsorgane und macht so den Weg frei für die Aufnahme von Energie in diesem Bereich.

Der Vierte »Tibeter« ist ein relativ langer Bewegungsablauf. Setzen Sie sich mit hüftbreit ausgestreckten Beinen hin. Halten Sie den Oberkörper aufrecht, möglichst im rechten Winkel zu den am Boden ruhenden Beinen. Achten Sie auf Ihre Haltung: aufgerichtete Wirbelsäule, gedehnter Hals, gerader Kopf. Legen Sie die Hände auf den Boden neben Ihr Gesäß mit den Handflächen nach unten. Die Finger sind in Richtung Füße ausgerichtet.

Wie beim Dritten »Tibeter« führen wir zu Beginn der Übung den Kopf nach unten, also das Kinn auf das Brustbein. Nun heben wir das Gesäß mit Hilfe der Armmuskeln vom Boden ab. Sollten Sie über verhältnismäßig kurze Arme verfügen, legen Sie Bücher unter Ihre Hände.

Ist das Anheben geglückt, beginnen Sie das Gesäß in Richtung Füße zu schieben. Beugen Sie die Knie und stellen Sie die Fußsohlen auf den Boden. Beginnen Sie nun das Gesäß durch die Kraft der Wirbelsäule so weit hochzuheben, bis der ganze Körper eine gerade, parallel zum Boden verlaufende Linie bildet. Während Sie den Körper hochheben, führen Sie den Kopf behutsam nach hinten und öffnen den Mund. Sie halten den Kör-

Vierter »Tibeter«: Der Körper wird auf Händen und Füßen gehalten und bildet eine parallele Linie zum Boden.

Die Fünf »Tibeter«

per jetzt auf den Händen und den Füßen und bilden so eine schöne, rechteckige Brücke. Alle Pfeiler (Arme und Beine) stehen senkrecht.

Der Bewegungsabbau erfolgt in umgekehrter Reihenfolge. Senken Sie das Gesäß langsam, ziehen Sie es zurück zwischen die Hände und setzen Sie den Körper wieder ab. Gleichzeitig führen Sie den Kopf zurück, schließen den Mund und ziehen das Kinn auf das Brustbein. Wichtig ist, daß Sie am Schluß die Hände vom Boden lösen und Arm-, Bein- und Rumpfmuskeln lockern.

Selbstverständlich gilt auch für diese Übung: Heben Sie den Körper nur so weit, wie Sie können. Fordern Sie sich, aber überfordern Sie sich nicht. Die »Tibeter« sind ein Langzeitprogramm. Nehmen Sie sich ganz einfach die Zeit, die Sie brauchen.

Diese Übung verführt gerne zum Verweilen in der Anspannung, also in der Brückenhaltung. Wird dabei der Atem angehalten, kommt es zu einer ungewollten, zusätzlichen Anspannung. Achten Sie daher darauf, auch den Vierten »Tibeter« in fließenden Bewegungen auszuführen: Körper hochheben, eine gerade Brücke bilden, Stellung einen minimalen Augenblick halten, den Körper zurückführen und ablegen.

Atmung und Bewegungsablauf werden bei dieser Übung wie folgt koordiniert: In der Ausgangshaltung atmen Sie kräftig aus, während Sie das Kinn zum Brustbein senken. Beginnen Sie, während Sie die Bewegung aufbauen, mit dem Einatmen. Es dauert so lange, bis die Brücke steht. Sofort danach beginnt das Ausatmen, das mit dem Bewegungsabbau einhergeht. Auch bei dieser Übung gilt: Dauert die Bewegung am Anfang zu lange für einen einzigen Atemzug, dann nehmen Sie zwei oder drei. Wenn Sie die Bewegung sicher und geläufig ausführen können, dann beginnen Sie sie mit der Atmung zu koordinieren: Brücke aufbauen – einatmen, Brücke abbauen – ausatmen.

Der Vierte »Tibeter« verbindet die beiden Bereiche, die im Zweiten und Dritten »Tibeter« angesprochen worden sind, nämlich Beine und Unterleib einerseits und Oberkörper und Hals andererseits. Daß diese Übung im Bereich der Verdauungsorgane wirkt, werden Sie selbst durch Magenglucksen oder gelegentliche Winde feststellen. Sie dehnt aber auch die vordere Rumpfmuskulatur.

Achten Sie insbesondere auf einen korrekten Bewegungsabbau: Achten Sie auf eine korrekte Ausgangshaltung, das heißt einen geraden Oberkörper. Ziehen Sie den Körper ganz zurück bis zwischen die Arme und setzen Sie ihn erst dann ab. Lösen Sie alle Muskeln.

Der Vierte »Tibeter« ist ein relativ langer Bewegungsablauf, deshalb suchen viele Übende eine kurze Erholung nach dieser Figur. Grätschen Sie die Beine und ziehen Sie sie an, indem Sie die Knie aufstellen. Legen Sie dann beide Arme über die Knie und beugen Sie die Wirbelsäule nach vorn, lassen Sie den Kopf hängen. Diese Ruheposition nahmen Kutscher ein, wenn sie auf Kunden warteten. Sie ist entspannend und bietet der Wirbelsäule eine Lockerung und einen Ausgleich für die vorangegangene Übung.

Die Kutscher-Haltung.

Der Fünfte »Tibeter«

Der Fünfte »Tibeter« schließt den Reigen der Übungen würdig ab. Durch die Auf- und Abbewegungen wirkt er wie eine mächtige Energiepumpe, die Schwung in alle Körperfunktionen bringt. Außerdem kräftigt er die Muskulatur des ganzen Körpers, wie es auch die vorhergehende Übung tat.

Legen Sie sich auf den Bauch. Halten Sie die Füße etwas weiter als hüftbreit auseinander, die Arme liegen angewinkelt, mit den Handflächen nach unten, Finger nach vorne zeigend, links und rechts neben dem Brustkorb. Stellen Sie die Zehen auf und heben Sie den Körper auf Hände und Zehen. Beugen Sie den Kopf und den Oberkörper, ähnlich wie beim Dritten »Tibeter«, sanft nach hinten. Der Mund ist leicht geöffnet. Die Beine werden durchgestreckt und parallel zum Boden einige Zentimeter in der Luft gehalten. Die Gesäßmuskeln werden, wie beim Dritten »Tibeter«, maximal angespannt, um eine solide Basis für die Rückwärtsbeuge der Wirbelsäule zu bilden. Achten Sie auf guten Stand und auf absolut rutschfeste Sohlen, oder stellen Sie Ihre Füße an eine Wand. Aus dieser Stellung heraus heben Sie das Gesäß kontinuierlich, bis Ihr Körper ein umgedrehtes V bildet. Gleichzeitig führen Sie das Kinn auf das Brustbein. Kehren Sie zurück, senken Sie das Gesäß und dehnen Sie den Oberkörper rückwärts, nehmen Sie den Kopf zurück, öffnen Sie den Mund. Legen Sie den Körper nicht ab, sondern halten Sie ihn auf Händen und Zehen und beginnen Sie die nächste Wiederholung. Lassen Sie am Schluß der Übungen den Körper nicht einfach hinfallen, sondern legen Sie ihn langsam und mit Muskelkraft ab. Bringen Sie dabei zuerst die Knie auf den Boden, und senken Sie dann den Oberkörper mit Armkraft ab.

Fünfter »Tibeter«:
Das Gesäß ist hochgehoben,
das Kinn ruht auf dem
Brustbein.

Auch beim Fünften »Tibeter« werden Atmung und Bewegungsablauf koordiniert:

Sie atmen beim Zurückbeugen des Kopfes und des Oberkörpers aus, und Sie beginnen einzuatmen, sobald der Körper die Aufwärtsbewegung beginnt. Ist die V-Haltung erreicht und das Kinn an das Brustbein gezogen, beginnt das Ausatmen und damit das Abbauen der Übung, also das Rückwärtsbeugen.

Was wir beim Vierten »Tibeter« durch langsame Körperbewegungen von den Füßen über den Unterleib bis zum Oberkörper aufgearbeitet haben, erfolgt bei dieser Übung in schnelleren Bewegungen und außerdem in umgekehrter Reihenfolge. Hier wird zuerst gedehnt, und danach wird der Magen-Darm-Bereich bewegt. Auffallend ist zudem, daß abwechselnd der Kopf und das Gesäß die höchste Position einnehmen. Damit wird symbolhaft dargestellt, daß wir Menschen erdgebunden, aber gleichzeitig auch mit dem Himmel verbunden sind. Mit dieser Übung arbeiten wir am ganzen Körper, von den Beinen über den Unterleib, bis zum Brustraum, dem Kehlkopf und dem Kopf selbst. Der Bewegungsablauf betont die Stirn und die Nebenhöhlen.

Der Fünfte »Tibeter« verbindet den ganzen Körper und integriert dadurch natürlich auch unsere emotionalen Kräfte. In Verbindung mit den vorangegangenen Übungen öffnet diese Übung die Gedankenwelt, schärft den Verstand und läutert die Stimmung bis hin zu einer grundsätzlich positiven Lebenseinstellung. Damit ist die Brücke zum ersten »Tibeter« geschlagen, der mit seiner Leichtigkeit und Fröhlichkeit ebenfalls dieses Ziel anstrebt.

Liegen Sie am Schluß der Übung flach auf dem Bauch, strecken Sie den rechten Arm nach vorne aus, drehen Sie sich auf die rechte Körperseite, und legen Sie den Kopf auf dem ausgestreckten Arm ab. Winkeln Sie jetzt das obere Bein an, und legen Sie das Körpergewicht auf das angewinkelte Knie. Diese natürliche Schlafhaltung dient dem Entspannen nach dem Fünften »Tibeter«.

Entspannungshaltung

Die Fünf »Tibeter«

Die Fünf »Tibeter« als Antistreß-Therapie

Das Wichtigste an den »Tibetern« ist die eigene tägliche Praxis. Das erreichen Sie leicht, wenn Sie die Übungen fest in den Tagesablauf integrieren. Reservieren Sie sich dafür eine feste Zeit, beispielsweise am Morgen, bevor die Hektik des Tages beginnt. Sie werden sehen, daß Sie so den Tag mit viel mehr Ruhe und Gelassenheit beginnen. Sie werden den ganzen Tag aus einer Haltung der Stärke und inneren Kraft agieren.

Das Üben der »Tibeter« besteht darin, jede Figur mehrmals hintereinander auszuführen, und zwar in der ersten Woche dreimal. Sie drehen sich also dreimal im Kreis, danach heben Sie die Beine dreimal, sie dehnen den Oberkörper dreimal usw. In der zweiten Woche steigern Sie sich auf fünf Wiederholungen, in der dritten auf sieben. So können Sie die Anzahl der Wiederholungen von Woche zu Woche um je zwei Durchgänge erhöhen, bis Sie bei 21 Übungsrunden pro Figur angelangt sind. Diese langsame Steigerung hat den unschätzbaren Vorteil, daß Sie sich nicht überfordern, daß sich der Körper an die Bewegung gewöhnt und genügend Zeit erhält, behindernde Fremdstoffe auszuscheiden. Die Fünf »Tibeter« sind ein Langzeitprogramm. Lassen Sie sich also ruhig Zeit. 21 Wiederholungen sind zwar das Ziel, aber es gibt niemanden, der Sie hetzt oder antreibt. Sie dürfen Ihren persönlichen Bedürfnissen entsprechend ohne weiteres auch längere Zeit bei einer beliebigen Wiederholungsrate stehen bleiben.

Üben Sie die »Tibeter« stets in der angegebenen Reihenfolge, also von der ersten bis zur fünften Übung. Diese Regel gilt insbesondere für die Figuren zwei bis fünf, der Erste »Tibeter« darf am Anfang, am Schluß oder auch unabhängig von den übrigen durchgeführt werden.

Sollten Beschwerden wie zum Beispiel Schwindel auftreten, reduzieren Sie Ihre Bemühungen, indem Sie weniger Wiederholungen durchführen oder indem Sie die Bewegungen langsamer ausführen. Erhöhen Sie die Zahl der Übungsrunden wieder, wenn Ihr Körper dazu bereit und in der Lage ist.

Die Fünf »Tibeter« bewirken eine Harmonisierung aller körperlichen und geistigen Abläufe, vom Blutkreislauf, dem Herzrhythmus, den Nervenimpulsen bis hin zur Gedankenwelt. Die Übungen stehen im Einklang mit dem natürlichen Rhythmus von Anspannung und Entspannung. Sie lockern überbeanspruchte und durch Streßablagerungen belastete Muskelpartien. Gleichzeitig beruhigen sie die Nerven, stärken unsere Widerstandskräfte und erhöhen so die Streßschwelle ganz erheblich. Die Fünf »Tibeter« geben uns innere Sicherheit und lassen uns zum lächelnden Sieger im Alltag werden.

Der Verlag dankt dem Fünf-»Tibeter«-Trainer-Ausbilder Arnold H. Lanz, der diesen Artikel verfaßt hat, sowie seinen Kolleginnen Maruscha Magyarosy und Gitta Junker, die daran mitgearbeitet haben.

DER FÜNF-»TIBETER«-SERVICETEIL

Der »Tibeter«-Dachverband

Der »Tibeter« Anwender und Trainer Dachverband e.V. betreut alle »Tibeter«-Freunde. Er regelt und überwacht die Ausbildung, stellt Informationen und Mittel für die korrekte Anwendung zur Verfügung und beantwortet alle im Zusammenhang mit der »Tibeter«-Praxis auftauchenden Fragen.

Der Dachverband fördert die »Tibeter« als einfaches Energie- und Fitnessprogramm für jedermann und jederfrau jeden Alters. Das Programm hat seinen Ursprung im Yoga und besteht aus fünf einzelnen sich ergänzenden Bewegungsabläufen, die vollständig praktiziert werden wollen. Eine natürliche Haltung und genaue Ausführung der Übungen verhindern mögliche Fehlerquellen. Die Kombination mit einer ruhigen und tiefen Atmung sowie mit positiven, lichten Gedanken intensiviert die Wirkung. Ergänzende Entspannungsübungen steigern den Wert des Programms.

Viele Anwender berichten über harmonisierte und vitalisierte Organfunktionen, über äußere und innere Fitness. Die »Tibeter« sind eine hervorragende Möglichkeit, soziale und emotionale Kompetenz und Intelligenz auf- und auszubauen. Sie erschließen auf natürliche Art und Weise einen Weg zum eigenen Ich, zu Selbstbewusstsein, zu Zentriertheit, zu innerer Ruhe und Gelassenheit. In diesem Sinne entfalten diese einfachen Riten eine wohl nie restlos auslotbare Tiefe und Qualität.

Auskünfte und Informationen erhalten Sie bei:

Fünf »Tibeter«® Dachverband
Zentralsekretariat
Geschäftsstelle Deutschland, Carlos G.J. Liebetruth
Wilhelmstraße 27, D-80801 München
Tel. (0049)-089-34 81 65, Fax: (0049)-089-34 70 95
E-Mail: carlos-liebetruth@t-online.de

Sekretariat Deuschland:
»Tibeter« Dachverband, Herrn Carlos Liebetruth,
Wilhelmstraße 27, D-80801 München,
Tel.: (+49) 89-34 81 65, Fax: (+49) 89-34 70 95
E-Mail: carlos.liebetruth@t-online.de

Sekretariat Österreich:
»Tibeter« Dachverband, Herrn Franz Steinberger,
Diessenleiten-Weg 266, A-4040 Lichtenberg
Tel.: 0043-7327-3 92 33 oder 0043-664-3 26 14 24
E-Mail: fs.consulting@aon.at

Internet-Homepage:
http://www.fuenf-tibeter.de

Die Ausbildung besteht hauptsächlich aus:

a) »Tibeter« Grundseminar
Ziel: das umfassende Kennenlernen und Einüben des
Programms
Dauer: einen Tag oder mehrere Abende
Umfang und Inhalt:
– Erklärungen zu den »Tibetern«: Geschichte, Entstehung,
Philosophie und Geisteshaltung
– Einüben und Erklärungen zur Anatomie: Körperhaltung,
gerader Stand, Körper-Durchlässigkeit, Blut- und Energie-
zirkulation, Wirbelsäulenhaltung, Ausgangs- und Grund-
position
– ausführliches Erklären und Einüben der Bewegungsabläufe
– zu vermeidende mögliche Fehlhaltungen und Bewegungs-
führungen; Folgen solcher Fehlhaltungen
– Zeigen und Einüben der Vorübungen, Entspannungshal-
tungen, Ausgleichspositionen
– Verbinden der »Tibeter« mit der Atmung, Grundkenntnisse: Zwerchfellatmung, Bauchatmung, Vollatmung, In-
tensivatmung
– die Anwendung der »Tibeter«

98

- Grundkenntnisse des endokrinen Drüsensystems und der Chakralehre
- vertiefende, meditative und mentale Übungspraktiken der »Tibeter«

»Tibeter«-Grundseminare werden von lizenzierten »Tibeter«-Trainern angeboten (siehe Liste ab Seite 101). Die aktuellen Seminartermine werden in der Homepage bekanntgegeben und sind unter den Sekretariatsadressen abzufragen.

b) Fresh Up Kurse
Ziel: Auffrischen, Erneuern der »Tibeter«-Kenntnisse
Dauer: ein halber Tag oder ein langer Abend
Umfang und Inhalt: wie Grundseminar mit dem Hauptgewicht auf Kontrolle, Korrektur, Verfeinerung und Vertiefung, insbesondere auch im meditativen, entspannenden Bereich: Erfahrungsaustausch über die Wirkungsweise

»Tibeter« Fresh Up Seminare werden von ausgewählten lizenzierten »Tibeter«-Trainern angeboten. Die aktuellen Seminartermine werden in der Homepage bekanntgegeben und sind unter den Sekretariatsadressen abzufragen.

c) »Tibeter«-Trainer-Ausbildung
Ziel: Ausbildung zum lizenzierten »Tibeter«-Trainer
Dauer: sechs Tage
Abschluss: Trainerlizenz
Umfang und Inhalt:
- Definition der »Tibeter«
- vertiefendes Einüben, Praxis der »Tibeter«-Schulung
- Sonderformen der Anwendung, vertiefende Anatomie, Körperhaltungen Vor-, Nach-, Ergänzungsübungen, Wirbelsäulenschule
- der 6. und der 7. »Tibeter«
- Affirmationen, positives Denken, Meditation

- Atem ist Leben, tibetische Atemschule, Energieatem, Lebensatem, Wunschatem
- vertiefende Chakra-Arbeit (öffnen, reinigen, fördern, verbinden, heilen)
- Organisation und Administration, Rechtsfragen, Pflichten und Rechte des Trainers
- Aufgaben und Ziele, Wirken, PR, Werbung
- »Tibetische« Ernährung
- Persönlichkeitsentwicklung, Kreativität, Talente entwickeln, Selbstfindung
- die Grundstufen der Energiearbeit (wecken, verdichten, lenken, pulsieren, einsetzen)

Die »Tibeter«-Trainer-Ausbildung wird von ausgewählten lizenzierten »Tibeter«-Trainer-Ausbildern angeboten (siehe Vorstellung ab Seite 109). Die aktuellen Seminartermine werden in der Homepage bekanntgegeben und sind unter den Sekretariatsadressen abzufragen.

Aktuelles Verzeichnis der TrainerInnen

Deutschland

PLZ-Bereich 0....

01219 Dresden, Bernd Steffin, Gustav-Adolf-Straße 7, Tel. 03 51-4 70 93 33
01262 Dresden, Karen Zühlke, Postfach 21 04 41, Tel. 03 51-3 17 75 57
01824 Gohrisch, Monika Backmann, OT Cunnersdorf 2 a,
     Tel. 03 50 21-6 89 48
03046 Cottbus, Nora Kalesse, Mühlenstraße 42, Tel. 03 55-48 69 209
03205 Missen, Elisa Enyedi, Schulsiedlung 4, Tel. 03 54 36-50 01
04134 Leipzig, Frank Gerecke, Postfach 22 14 12, Tel. 03 41-5 50 29 64
07330 Probstzella, Birgit Hansel, Obere Gasse 4, Tel. 03 67 35-7 22 51
08064 Zwickau, Beate Wasmeier, Cainsdorfer Hauptstraße 56,
     Tel. 03 75-6 92 45 96
08289 Schneeberg, Erika Krauß, Keilbergring 19c, Tel. 03 772-5 56 44

PLZ-Bereich 1....

10178 Berlin, Bärbel Rein, Rosenthaler Straße 36, Tel. 030-27 59 68 24
10365 Berlin, Annette Reitz, Siegfriedstraße 204 a, Tel. 01 70-47 66 323
12555 Berlin, Dirk Rollwitz, Zingster Straße 78, Tel. 0 30-9 29 65 31
12559 Berlin-Müggelheim, Prof. Dr. Hartmut Schröder, Gosener Damm 6,
     Tel. 0 30-6 59 89 00
13086 Berlin, Kay Weber, Charlottenburger Straße 18, Tel. 0 30-92 09 35 78
13158 Berlin, Grit Herzberg, Dammsmühler Straße 65, Tel 01 71-6 84 39 98
13403 Berlin, Karin Becker, Windhalmweg 33, Tel. 0 30-414 32 71
13465 Berlin, Dr. med. Edelgard Böcker-Schröder, Ludolfingerweg 64,
     Tel. 0 30-4 01 60 65
13465 Berlin, Margitta Conradt, Im Amseltal 30, Tel. 0 30-40 10 91 89
13503 Berlin, Eveline Käding, Zeisgendorferweg 21, Tel. 0 30-43 74 95 60
14469 Potsdam, Delfina Wolf Sobisch, Beyerstraße 2, Tel. 03 31-2 00 64 17
14473 Potsdam, Heike Lehmann, Tornowstraße 13, Tel. 03 31-20 12 78 12

14542 Werder, Kathrin Reinecke, Seerosenweg 31, Tel. 0 33 27-73 25 50
15366 Neuenhagen, Katja Schulz, Koblenzer Straße 9,
  Tel. 0 33 42-20 36 44
15834 Rangsdorf, Christian Heese, Seebadallee 34, Tel. 03 37 08-92 07 91
15848 Friedland, Bianka Mietchen, Leißnitz 17, Tel. 03 36 76-54 97
14471 Potsdam, Violetta Minx, Lennestraße74, Tel. 03 31-6 26 38 38
16259 Bad Freienwalde, Heike Buß, Fliederweg 5, Tel. 0 33 44-33 16 49
16341 Panketal, Elke Verter, Schubertstraße 11, Tel. 0 30-94 41 77 80
16548 Glienicke, Angelika Rückbrecht, Clara-Zetkin-Straße 45.
  Tel. 03 30 56-7 65 13
16816 Neuruppin, Gerard u. Angelika Skok, Franz-Maeeker-Straße 25 b,
  Tel. 0 33 91-50 15 91
17179 Gnoien, Wiltrud Olejniczak, Am Wiesengrund 38,
  Tel. 0 39 971-1 27 86
18059 Rostock, Anne-Catrin Pöschmann, Erich-Weinert-Straße 2,
  Tel. 03 81-3 75 78 42
19306 Neustadt-Glewe, Annelie Biermann, Schweriner Straße 25,
  Tel. 03 87 57-2 24 82

PLZ-Bereich 2....

21244 Buchholz, Jutta Frank, Hamburger Straße 2, Tel. 0 41 81-21 70 40
21680 Stade, Ellinor Boberg, Timm-Kröger-Straße 8, Tel. 0 41 41-6 56 73
22335 Hamburg, Elke Orthmann, Langenhorner Chausse 56,
  Tel. 0 40-6 40 38 60
22359 Hamburg, Verena Baetgen, Farmsener Landstraße 23,
  Tel. 0 40-6 44 62 72
22397 Hamburg, Gisela Leoni Teschke, Specksaalredder 32 a,
  Tel. 0 40-6 07 20 72
22455 Hamburg, Rosemarie Kielmann, Quedlinburger Weg 4,
  Tel. 0 40-57 14 94 74
22523 Hamburg, Helge Köhnholdt, Strohblumenweg 2,
  Tel. 0 40-5 71 42 35
23883 Alt-Horst, Angela Groß, Alter Kirchweg 3, Tel. 0 45 42-12 15
25704 Meldorf, Marcel Egli, Norderstraße 6, 0 48 32-97 95 51
25992 List auf Sylt, Maria Ilona Poppendieck, Am Buttgraben 61,
  Tel. 0 46 51-87 06 15
26548 Norderney, Gudrun Eggen, Winterstraße 14 b, Tel. 0 49 32-4 61

26603 Aurich, Jörg Bimpage, Hermann-von-Schleusen-Straße 5,
Tel. 0 49 41-99 41 95
28865 Lilienthal, Erdmute Johanna Haake, Arpsdamm 4,
Tel. 0 42 98-69 74 74
29478 Höhbeck/Brünkendorf, Birgit Hammel, Zum Berge 6, Tel. 0 58 46-23 58

PLZ-Bereich 3....

30161 Hannover, Christel Bodo, Voßstraße 7, Tel. 05 11-3 36 22 80
30659 Hannover, Marion Sauermann, Grimsehlweg 29, Tel. 05 11-600 69 77
30880 Laatzen-Oesselse, Gisela Gehrenkemper, Mühlenweg 12,
Tel. 0 51 02-15 47
30880 Laatzen-Oesselse, Dorit Hennies, Kleiner Kamp 48, Tel. 0 51 02- 63 54
32052 Herford, Sabine Mitzloff, Stephansweg 6a. Tel. 0 5253-39 96
32760 Detmold, Zwetanka Müller, Akazienstraße 9a, Tel. 01 74-304 77 14
33449 Langenberg, Angelika Frantzheld, Stukendamm 32,
Tel. 0 52 48-82 38 90
33619 Bielefeld, Petra Biele-Seifert, Wildhagen 78, Tel. 0 52 1 – 89 46 99
34434 Borgentreich-Großeneder, Maria Hördemann, Hauptstraße 49,
Tel. 0 56 44-7 57
35037 Marburg, Gisela Köhm, Wilhelm-Roserstraße 48, Tel. 0 64 21-6 45 46
37181 Hardegsen, Renate Schimanski, Alte Uslarer Straße 17 b,
Tel. 0 55 05-52 57
38162 Cremlingen, Gudrun Jänicke, Im Beesehof 13, Tel. 0 53 06-94 12 37
38239 Salzgitter, Doris Schulz, Brandhelms Garten 13, Tel. 0 53 41-26 75 00
39112 Magdeburg, Ulrike Kerkhoff, Klausenerstraße 35, Tel. 03 91-2 88 06 36
39649 Peckfitz, Selina Lüttichau, Dorfstraße 45, Tel. 03 90 82/9 33 95

PLZ-Bereich 4....

41236 Mönchengladbach-Rheydt, Brigitte Sollich, Wichrather Straße 36,
Tel. 0 21 86-12 42 715
41334 Nettetal, Stefanie Mennecke, Oirlich 3, Tel. 0 21 53- 1 36 21
46149 Oberhausen, Angelika Taylor, Dianastraße 40, Tel. 02 08-64 61 01
46499 Hamminkeln, Susanne Rohloff, Pfarrer-Seither-Weg 8, Tel. 0 28 56-18 99
46562 Horst Voerde und Judith Förster, Prinzenstraße 102, Tel. 0 28 55-1 53 85
48653 Coesfeld, Werner Küper, Wienhörsterbach 15 a, Tel. 0 25 41-84 75 58

PLZ-Bereich 5....

50354 Hürth, Barbara Auler, Marktweg 20–22, Tel. 0 22 33-40 19 95
50672 Köln, Ralf Christian Althaus, Limburger Straße 33, Tel. 02 21-257 08 09
50935 Köln, Gisela Sáinz López, Krielerstraße 52, Tel. 02 21-32 49 75
50996 Köln, Horst Beiderbeck, Mildred-Scheel-Straße 23, Tel. 02 21-9 37 28 64
51467 Bergisch Gladbach, Udo Hofmann, Katharinental 13,
    Tel. 0 22 04-92 97 61
51519 Odenthal, Gertrud Thören, Heidberger Straße 37 a, Tel. 0 22 02-9 75 31
52499 Baesweiler, Karola Laschet, Peterstraße 103, Tel. 0 24 01-79 40
53359 Rheinbach, Claudia Deventer, Schützenstraße 12, Tel. 0 22 26-1 07 64
53604 Bad Honnef, Barbara Sonnenschein, Wichfriedweg 9a,
    Tel. 0 22 24-85 49
54290 Trier, Theo Kuhn, Hohenzollernstraße 10, Tel. 06 51- 4 36 62 27
58332 Schwelm, Cornelia Bühne, Kölner Str. 24, Tel. 0 23 36-47 32 92
58675 Hemer, Christiane Amelung, Brockhauser Weg 55 a,
    Tel. 0 23 72-55 87 13
58706 Menden, Herwig Steinhuber, Bischof-Drobe-Straße 3a,
    Tel. 0 23 73-6 70 31
59581 Warstein, Claudia Müller, Streitstraße 6 A, Tel. 0 29 25-80 00 43

PLZ-Bereich 6....

60596 Frankfurt a. M., Gabriela Ristow-Leetz, Böcklinstraße 6,
    Tel. 0 69-63 24 40
60598 Frankfurt a. M., Franz-Josef Conrads, Tucholskystraße 81,
    Tel. 01 70-4 31 60 26
61194 Niddatal, Heike Anders-Biebriecher, Theodor-Fontane-Straße 16,
    Tel. 0 60 34-9 21 93
63110 Rodgau, Rudolf Hetzel, Hunsrückstraße 2, Tel. 01 60-97 46 75 23
63450 Hanau, Ulrike Kemmerer, An der Walkmühle 12, Tel. 0 61 81-1 22 67
63500 Seligenstadt, Shari Seymore, Spessartstraße 113, Tel. 0 61 82-82 76 70
63619 Bad Orb, Dr. Uta Haake, Berliner Straße 2 a, Tel. 0 60 52-90 08 88
63739 Aschaffenburg, Ulrike M. Greene, Pestalozzistraße. 19,
    Tel. 0 60 21-188 13 01
63791 Karlstein, Petra Eich, Kirchgasse 20, Tel. 0 61 88-44 96 63
64283 Darmstadt, Heidi Ninomiya-Rehm, Hoelgesstraße 17, Tel. 061 51-28 999
64646 Heppenheim, Ilse Grote, Schlehenweg 9, Tel. 0 62 52-91 35 85

64658 Krumbach, Andrea Langheim, Im Ort 24, Tel. 0 62 58-80 65 20

65197 Wiesbaden, Renate Weil, Goerdelerstraße 53, Tel. 06 11-9 88 29 54

65618 Selters/Ts., Edith Brühl, An den Birken 12, Tel. 0 64 83-91 15 88

65779 Kelkheim, Sabine Fischer, Taunusstraße 9a, Tel. 0 61 95-97 63 35

66133 Saarbrücken, Margrit Schröder, Fasanenweg 6, Tel. 06 81-81 62 08

67435 Neustadt/W., Michael Löhlein, Kurpfalzstraße 29, Tel. 0 63 21-9375751

67574 Osthofen, Traudi Merle-Seibert, Ziegelhüttenweg 75, Tel. 0 62 42-70 83

68159 Mannheim, Karin Lara Behnke, G 7, 22, Tel. 06 21-3 06 92 77

68799 Reilingen, Renate Herzog, Schillerstraße 20/1, Tel. 01 70-75 77 723

69412 Eberbach, Susanne Götz, Beckstraße 19, Tel. 0 62 71-7 12 32

PLZ-Bereich 7....

70193 Stuttgart, Dr. med. Felix Rudolph, Dr. phil. Monika Rudolph,
Seyfferstraße 97, Tel. 07 11-63 48 02

70195 Stuttgart, Dr. Monika Rudolph, Oberer Kirchhaldenweg 17,
Tel. 0711-6 9932 55

70376 Stuttgart, Friedrich Niklaus, Nahgoldstraße 62, Tel. 07 11-25 96 37 67

70437 Stuttgart, Stefan Auer, Adalbert-Stifter-Straße 8, Tel. 07 11-8 49 10 01

70499 Stuttgart, Peter Domhan, Landauer Straße 93, Tel. 07 11-8 89 14 92

71111 Waldenbuch, Ulrike Mönkemöller, Hasenhofstraße 18,
Tel. 0 71 57-88 02 71

71701 Schwieberdingen, Petra Mendel-Otto, Peter-von-Koblenz-Straße 160,
Tel. 0 71 50-39 76 03

72202 Nagold, Ellen R. Baumann, Achalmstraße. 27/6, Tel. 0 74 59-24 02

72202 Nagold-Mindersbach, Margarita Vetter, Bopserweg 22,
Tel. 0 74 52-9 20 22

72636 Linsenhofen, Kristin Göthling, Raiffeisenstraße 5, Tel. 0 70 25-85 02 74

73344 Gruibingen, Michael Müller, Hölderlinweg 16, Tel. 0 73 35-64 00

73630 Grumbach, Silke Zörner-Teumer, Schulstraße 8, Tel. 0 71 51-27 84 60

74074 Heilbronn, Stefanie Hartmann, Karl-Betz-Straße. 11,
Tel. 0 71 31-6 49 02 93

74080 Heilbronn, Heiko Müller, Friedenstraße 76, Tel. 01 72-7 20 19 36

74889 Sinsheim, Waltraud Ertz, Am Mangoldsgrund 12, Tel. 0 72 61-1 21 07

75177 Pforzheim, Martina Williger, Hinter der Warte 2 d,
Tel. 01 76-41 05 02 61

76185 Karlsruhe, Bettina Morlock-Schäfer, Richard-Wagner-Straße 5,
Tel. 07 21-84 29 30

76307 Karlsbad, Gerda Arldt, Parkring 12, Tel. 0 72 02-93 74 37
76351 Linkenheim, Bettina Fischer, Friedenstraße 39, Tel. 0 72 47-52 46
76351 Linkenheim, Elli Weps, Kopernikusstraße 4, Tel. 0 72 47-70 64
78234 Engen, Annemarie Held, Neuhewenstraße 28, Tel. 0 77 33-29 05
78355 Hohenfels/Kalkofen, Petra Mirinhia Mock, Mühlweg 12,
    Tel. 01 71-745 41 36
78464 Konstanz, Elisabeth Beck, Jacob-Burckhardt-Straße 9, Tel. 0 75 31-5 69 61
79540 Lörrach, Dr. Martina Seidler, Hermann-Albrecht-Straße 31,
    Tel.0 76 21-14 07 82
79650 Schopfheim, Silke Schaubhut, Hohe-Flum-Straße 45,
    Tel. 0 76 22-673 98 14
79664 Wehr, Helene Wunsch, Schopfheimerstraße 4, Tel. 0 77 62-70 72 82

PLZ-Bereich 8....

80708 München, Markus Hannes & Winfried Brinz, MaWin´s Zentrum,
    Postfach 40 08 46, Tel. 0 89-30 76 78 14
80801 München, Carlos G. J. Liebetruth, Wilhelmstraße 27, Tel. 0 89-34 81 65
81545 München, Carolin Heiss, Benediktenwandstraße 12,
    Tel. 0 89-61 19 91 45
81925 München, Maruscha Magyarosy, Zentrum für innerFitness®,
    Pernerkreppe 22, Tel. 0 89-9 57 81 20
81927 München, Heide Magyarosy, Klingsorstraße 3, Tel. 0 89-910 17 87
82319 Starnberg, Birgit Epting, Gautinger 9, Tel. 0 81 58-8517
82418 Murnau, Thomas P. Fleischer, Wiesenweg 4, Tel. 0 88 41-62 96 94
83022 Rosenheim, Peter Brenner, Pfandlstraße 5, Tel. 0 80 31-8 13 36
83527 Haag/Obb., Marion Mühlmann, Kapellenstraß3 37, Tel. 0172-889 59 98
83530 Schnaitsee, Ingo Löffelmann, Kampenwandstraße 46, Tel. 0 80 74-16 00
83646 Bad Tölz, Winfried Sedlmayr, Buchener Straße 12, Tel. 0 80 41-767 72 99
84051 Essenbach/Mirskofen, Reinhilde Pönisch, Arberstraße 9,
    Tel. 0 87 03-17 36
84144 Geisenhausen, Hanns Held, Johannesstraße 6, Tel. 0 87 43-18 08
84524 Neuötting, Judith Sasse, Eschlbacher Straße 1, Tel. 01 60-91 89 34 52
84547 Emmerting, Franz Mühlbacher, Mühlbachstraße 94,
    Tel. 0 86 79-91 14 44
85049 Ingolstadt, Konrad Gruber, Parreutstraße 2, Tel. 08 41-99 33 129
85229 Markt Indersdorf, Sabine Fischer, Fränkinger Straß3 15,
    Tel. 0 81 36-80 65 38

86609 Donauwörth, Nadja Buhl, Frühlingstraße 4, Tel. 09 06-7 05 62 09
86807 Buchloe, Winfried Brinz & Markus Hannes, Therapie- und Diagnose-
   Zentrum für Naturheilverfahren, Kloster-Stams-Straße 11, Tel. 0 82 41-41 53
87435 Kempten, Eva-Maria Remy, Jägerstraße 4 a, Tel. 08 31-1 81 42
87459 Pfronten, Hildegard Busch, Ladehofstraße 5, Tel. 0 83 63-92 70 71
88045 Friedrichshafen, Karl-Heinz Pfeifer, Charlottenstraße 55,
   Tel. 0 75 41-37 73 38
88400 Biberach, Ketan Felker, Rollinstraße 15, Tel. 0 73 51-37 10 71
88682 Salem, Christina Paffrath-Hennemann, Heiligenberger Straße 4,
   Tel. 0 75 53-91 82 33
89601 Schelklingen, Willibald Ziegler, Merowinger Straße 17, Tel.0 73 94-28 77
89611 Reutlingendorf, Henning Kandt, Haldenstraße 5, Tel. 0 73 75-95 00 71

PLZ-Bereich 9....

90419 Nürnberg, Bruno Straub, Burgschmiedstraße 11, Tel. 09 11-39 70 13
90537 Feucht, Hannelore Rózsa-Geiling, Jahnstraße. 17, Tel. 0 91 28-64 39
91056 Erlangen-Huettendorf, Claudia Jägle-Welke, Pechweg 4,
   Tel. 09 11-375 42 00
91320 Ebermannstadt, Herbert Adams, Jägerweg 10, Tel. 0 91 94-72 58 26
94060 Pocking, Jana Gewinn, Pfarrer-Drexler-Weg 4, Tel. 0 85 31-413 33
94315 Straubing, Marina Maschauer, Aldersbacher Straße 7,
   Tel. 0 94 21-7 42 23
95512 Neudrossenfeld, Ralf Meinhardt, Am Sonnenhang 10,
   Tel. 0 92 03-91 81 71
95615 Marktredwitz/Brand, Katharina Weinmeyer-Bauer, Kolpingweg 9,
   Tel. 0 92 31-64 76 58
95615 Marktredwitz, Harald Melzner, Wölsau 23, Tel. 0 92 31-70 28 88
95686 Fichtelberg, Monika Lein, Nagler Weg 9 A, Tel. 0 92 72-90 97 80
97288 Theilheim, Beatrix Fehrer, Reisgrube 11, Tel. 01 71-57 29 529
97424 Schweinfurt, Marlene Niklaus-Lücht, Johann-Riedel-Straße 7,
   Tel. 0 97 21-47 12 12
97616 Bad Neustadt, Jutta Fiedler, Spörleinstraße 4-6, Tel. 0 97 71-63 19 51
98528 Suhl, Bettina Ellguth, Breites Feld 30, Tel. 0 36 81-45 35 70
99192 Frienstedt, Elisabeth Scholz-Mertzdorff, Dietendorferstraße 2,
   Tel. 03 62 08-8 06 53
99198 Erfurt-Vieselbach, Robert Tilp, Brückenstraße 17,
   Tel. 01 72-79 94 811

Österreich

A-1130 Wien, Mag. Alfred Stummer, Firmiangasse 32/6, Tel. 00 43-1-4 84 14 40
A-2201 Gerasdorf, Karin Habegger, Kuhngasse 8/2/3, Tel. 00 43-6 50-6 29 34 56
A-3400 Klosternenburg, Roana Gaby, Suppan-Stumpf, Tel. 0043-664-5 41 50 69
A-4204 Haibach, Günther Edenstöckl, Aigen 8, Tel. 00 43-72 11-49 81
A-4540 Pfarrkirchen bei Bad Hall, Mag. Barbara Schagerl-Müllner,
    Möderndorf 85, Tel. 00 43-72 58-26 47
A-5150 St. Pantaleon 11, Christopher Schickmayr, Tel. 00 43-62 77-20 11 8
A-6122 Fritzens, Dagmar Welzl, Ried 31, Tel. 00 43-52 24-9 32 40
A-6858 Schwarzach, Gertrud Rotheneder, Bahngasse 14,
    Tel. 00 43-6 99 11-6 52 46
A-8010 Graz, Elfie Grabner, Tullhofweg 30, Tel. 00 43-676-600 55 39
A-8081 Heiligenkreuz/Waasen, Andy Bauer, Frannach 15
    Tel. 00 43-31 16-2 71 99
A-8813 St. Lambrecht Maria Steiner, Hauptsstraße 15, Tel. 00 43-35 85-21 03
A-9220 Velden a. S., Leopold Idl, Fliederweg 11, Tel. 00 43-664-522 08 00
A-9400 Wolfsberg, Hermine-Rosa Lingitz, Griesstraße 7,
    Tel. 00 43-43 52-5 16 28
A-9583 Faak am See, Isabella J. Smoliner, Parkweg 19, Tel. 00 43-664-172 81 00

Schweiz

CH-1670 Ursy, Helen Kraemer, En Plattiez II, Tel. 00 41-21-9 09 42 33
CH-1789 Lugnorre, Pius Schwegler, Chemin des Cerisiers 28,
    Tel. 00 41-79-300 52 93
CH-3066 Settlen, Izabela Aregger, Im Baumgarten 6, Tel. 00 41-31-9 32 20 43
CH-3185 Schmitten, Martin Tschopp, Ochsenriedstraße 9,
    Tel. 00 41-26-4 96 13 62
CH-5106 Veltheim, Petra Mirinhia Mock, Industriestraße 4,
    Tel. 00 41-56-443 37 14
CH-5417 Untersiggenthal, Roswitha Klose, Breitensteinstraße 38,
    Tel. 00 41-56-2 88 28 76
CH-5620 Bremgarten, Sepp Strebel, Isenlaufstraße 2, Tel. 00 41-56-6 31 03 77
CH-6213 Knutwil, Heike Gail, Buelstraße12, Tel. 00 41-41-922 15 60
CH-8046 Zürich, Otto Damann, Georg-Kempf-Park 1, Tel. 00 41-43-960 11 01
CH-8048 Zürich, Silvia Wüst, Hätzlergasse 4, Tel. 00 41-81-4 13 29 11

CH-9475 Sevelen, Myrtha Creydt, Guschastraße 13, Tel. 00 41-81-7 40 13 50
CH-9545 Wängi, Regina Sprenger, Steinlerstraße 28, Tel. 00 41-52-3 66 45 88

Spanien

E-07120 Son Sardina, Gundula Mörtlbauer, C./Verd. 10,
    Tel. 00 34-9 71-43 81 24
E-07840 Sta. Eulalia del Rio (Ibiza), Christina Pflügler, Aptdo. de Correo 143,
    Tel. 00 34-971-33 89 87

Italien

I-39012 Meran, Bernadette Schwienbacher, Tobias-Brenner-Str. 11,
    Tel. 00 39-04 73-2 11 990

Slowenien

SL-5261, Sempas, Irena Pavlin, Ozeljan 89 a, Tel. 00 38-65 30-884 50

Brasilien

CEP-04640-130 São Paulo, Christina Schiefferdecker, Rua Gabriel Sylvestre
    Teixeira de Carvalho 152, Tel. 00 55-11-55 42 28 99

Niederlande

NL-6418 JZ Heerlen, Brigitte Froehlich, Bunderhof 25, Tel. 00 31-45-542 56 59

Die Fünf »Tibeter«

Die Trainer-AusbilderInnen

Maruscha Magyarosy
ist Autorin, Körper-, Atem- und Yogatherapeutin. Sie leitet in München das Zentrum für innerFitness. Als Reisejournalistin lebte sie in Asien, Amerika und Europa. Dabei lernte sie bedeutende Weisheitslehrer kennen, deren Wissen sie in ihrer zwanzigjährigen Berufspraxis und in zahlreichen Büchern vielen Menschen nahegebracht hat. In ihren Seminaren vermittelt sie u. a. in Verbindung mit der von ihr begründeten Methode des *Inner Fitness®* eine gezielte Körper-, Atem- und Bewußtseinsschulung – eine Synthese aus Ost und West, die auf das Bedürfnis des modernen Menschen zugeschnitten ist.

Zusammen mit Carlos Liebetruth entwickelte Frau Magyarosy ein erfolgreiches Ausbildungskonzept für *Fünf-»Tibeter«*-TrainerInnen – eine Kombination aus Theorie und unmittelbarer Praxis, gewachsen in jahrelanger Ausbildungserfahrung mit qualifizierten Absolventen. Das Motto dabei lautet: Schritt für Schritt die verborgene, tiefe Weisheit des Körpers wiederzuentdecken, die Kraft und Intelligenz des Herzens zu aktivieren und die Klarheit und Sammlung des Geistes zu entfalten. Die Integration des Gelernten in den Alltag schafft die Grundlage für ganzheitliche Gesundheit, Vitalität und Kreativität.

Maruscha Magyarosy ist Autorin von *Intelligenz des Herzens durch die Fünf »Tibeter«* und – zusammen mit Brigitte Streubel – *Die Fünf-»Tibeter« in Aktion* (Video).

Weitere Informationen und Anmeldung:

Zentrum für *Inner Fitness®*
Yoga-Studio Maruscha Magyarosy
Pernerkreppe 22, 81925 München
Tel.: 089-957 81 20, Fax: 089-95 76 00 74
E-Mail: inFit@t-online.de
Homepage: http://www.innerFitness.de

Carlos G. J. Liebetruth
geboren 1932 im Harz, hat nach verschiedenen Laufbahnen im kaufmännischen und künstlerischen Bereich erst in der zweiten Lebenshälfte seine eigentliche Berufung entdeckt: Auf die Ausbildung als Heilpraktiker (seit 1984) folgte eine als Masseur – mit der Ausbildung in Thailand in Traditioneller Heilmassage als Schwerpunkt (Dozent für Traditionelle Thaimassage an der Müchner Volkshochschule).

Yoga, Fußreflexologie und neuerdings mentale Hörelektronik und Avatar-Schulung ergänzen das breite Spektrum seiner psychophysischen Heil- und Übungsangebote, wodurch Wirkung und Vertiefung des Fünf-»Tibeter«-Trainings optimal gewährleistet werden können.

Seit 1988 – Carlos Liebetruth ist einer der »Tibeter«-Pioniere – arbeitete er als Co-Trainer von Maruscha Magyarosy und seit 1994 bildet er selbst Fünf-»Tibeter«-Trainer aus und führt Aufbau- und Fortbildungskurse für Trainer durch.

Weitere Informationen und Anmeldung:

Carlos G. J. Liebetruth
Praxis für Massage und Reflexzonentherapie
Wilhelmstraße 27
80801 München
Tel: 089-348165, Fax: 089-347095
E-Mail: carlos.liebetruth@t-online.de

Dr. med. Edelgard Böcker-Schröder
ist Ärztin für Öffentliches Gesundheitswesen, Reiki-Meisterin, «Tibeter»-Trainer-Ausbilderin sowie Mitglied des Fünf »Tibeter«® Anwender und Trainer Dachverbandes. Sie arbeitet seit zwanzig Jahren u.a. als Betriebsärztin in der arbeitsmedizinischen Betreuung von Firmen und erhielt dadurch einen tiefen Einblick in den Zusammenhang zwischen den Problemen der Menschen – seien sie nun beruflicher oder privater Art – und ihren körperlichen Beschwerden.

Als autorisierte Fünf »Tibeter«®-Trainerin gibt sie Kurse für Anfänger und Fortgeschrittene über die Anwendung der Fünf Fünf «Tibeter» sowohl in Betrieben wie in für alle Interessierten offenen Seminaren und Workshops. Ihre »Tibeter«-Trainer-Ausbilder-Seminare – in Anlehung an das Ausbildungskonzept von M. Magyarosy und C. Liebetruth – sind geprägt durch eine optimale Kombination von Theorie und Praxis. Ihre Kurse und Ausbildungsseminare helfen jedem,

● sich auf sich selbst zu besinnen
● die eigenen Gefühle wieder wirklich wahrzunehmen
● die inneren Kräfte zu mobilisieren
● ein neues Selbst-Bewusstsein zu erlangen.

Weitere Informationen und Anmeldungen:

Dr. med. Edelgard Böcker-Schröder
Ludolfingerweg 64, D-13465 Berlin
Tel. 030-401 60 65, Fax 030-40 63 74 18
E-Mail: edebs@gmx.de

Klaus R. Junker war während seines 20-jährigen Aufenthaltes in Afrika, der Karibik und in Fernost u. a. als Fotograf, Journalist und Seminarleiter für Entspannungsverfahren tätig. Nach seiner Rückkehr aus dem Ausland gründete er zusammen mit seiner Frau das Privat-Institut Junker in Bad Homburg.

Weitere Informationen und Anmeldung:

Privat-Institut-Junker
Postfach 1718
61287 Bad Homburg v.d.H.
Tel/Fax: 06007-29 86

Informationen über Ausbildungskurse und aktuelle Einführungen erhalten Sie auch über unsere Homepage http://www.fuenf-tibeter.de

Literaturempfehlungen

Weiterführende Literatur zu den Fünf »Tibetern«® (im Scherz Verlag, Bern und München)

Gillessen, Brigitte: *Das Energieprogramm der Fünf »Tibeter«*
Gillessen, Wolfgang und Brigitte: *Erfahrungen mit den Fünf »Tibetern«*
Gruber, Fredy: *Mehr Power und Erfolg mit den Fünf »Tibetern«*
Hobert, Ingfried: *Gesundheit selbst gestalten*
Kilham, Christopher S.: *Lebendiger Yoga*
Lanz, Arnold H.: *Fitness und Entspannung mit den Fünf »Tibetern«*
Lanz, Arnold H.: *Die Fünf »Tibeter« für ein langes Leben. Der Königsweg zu mehr Lebensfreude und Vitalität*
Magyarosy, Maruscha: *Intelligenz des Herzens durch die Fünf »Tibeter«*
Simonsohn, Barbara: *Die Fünf »Tibeter« mit Kindern*
Weise, Devanando und Frederiksen, Jenny: *Die Fünf-»Tibeter«-Feinschmecker-Küche.*

Tibet, tibetischer Buddhismus und Mantras

Anderson, Walt: *Das offene Geheimnis. Der tibetische Buddhismus als Religion und Psychologie.* Goldmann, München
Avalon, Arthur: *Die Girlande der Buchstaben. Studien über das Mantra-Shastra.* O. W. Barth, Bern und München
Baumann, Bruno: *Die Götter werden siegen.* Herbig, München
Brunton, Paul: *Als Einsiedler im Himalaya.* O. W. Barth, Bern und München
Dalai Lama: *In die Herzen ein Feuer. Aufbruch zu einem tieferen Verständnis von Geist, Mensch und Natur.* O. W. Barth, Bern und München
   Das Auge der Weisheit. Grundzüge der buddhistischen Lehre für den westlichen Leser. O. W. Barth, Bern und München
   Der Friede beginnt in Dir. Zur Überwindung der geistig-moralischen Krise in der heutigen Weltgemeinschaft. O. W. Barth, Bern und München
   Das Auge einer neuen Achtsamkeit. Tradition und Wege des tibetischen Buddhismus. Goldmann, München

Logik der Liebe. Aus den Lehren des tibetischen Buddhismus für den Westen.
Goldmann, München

Die Weisheit des Herzens. Goldmann, München

Dargyay, Geshe Lobsang und Eva: *Das Tibetische Buch der Toten.* O. W. Barth,
Bern und München

David-Neel, Alexandra: *Leben in Tibet. Kulinarische und andere Traditionen aus
dem Lande des ewigen Schnees.* Sphinx, München

Die geheimen Dakini Lehren. O. W. Barth, Bern und München

Erffa, Wolfgang von: *Das unbeugsame Tibet.* A. Fromm, Osnabrück

Evans-Wentz, W. Y.: *Milarepa. Tibets großer Yogi.* O. W. Barth, Bern und
München

Govinda, Lama Anagarika: *Grundlagen tibetischer Mystik. Die geheime Lehre des
großen Mantra.* O. W. Barth, Bern und München

Hicks, Roger und Ngakpa, Chögyam: *Weiter Ozean. Der Dalai Lama.* Synthesis,
Essen

Hilton, James: *Der verlorene Horizont.* Fischer, Frankfurt

Khyentse, Dilgo Rinpoche: *Die sieben tibetischen Geistesübungen.* O. W. Barth,
Bern und München

Magyarosy, Maruscha: *Dalai Lama. Botschaft des Friedens.* Param,
Ahlerstedt

Moacanin, Radmila: *Archetypische Symbole und tantrische Geheimlehren.
Der tibetische Buddhismus im Licht der Psychologie C. G. Jungs.* Ansata,
München

Norbu, Namkhai: *Traum-Yoga. Der tibetische Weg zu Klarheit und Selbst-
erkenntnis.* O. W. Barth, Bern und München

Sogyal, Rinpoche: *Das tibetische Buch vom Leben und vom Sterben.
Ein Schlüssel zum tieferen Verständnis von Leben und Tod.* O. W. Barth, Bern
und München

Funken der Erleuchtung. Buddhistische Weisheit für jeden Tag des Jahres.
O. W. Barth, Bern und München

Spalding, Baird T.: *Leben und Lehren der Meister im Fernen Osten.* Drei Eichen,
Hammelburg

Meditation

Brunton, Paul: *Der Weg nach Innen.* O. W. Barth, Bern und München

Carrington, Patricia: *Das große Buch der Meditation.* O. W. Barth, Bern und
München

116

Da Liu: *T'ai Chi und Meditation. Einführung in die Praxis.* Irisiana, München
Dahlke, Rüdiger: *Reisen nach innen. Geführte Meditationen auf dem Weg zu sich selbst.* Irisiana, München
Goldstein, Joseph und Kornfield, Jack: *Einsicht durch Meditation. Ein Meditationshandbuch für die Übung im Alltag.* O. W. Barth, Bern und München
Kabat-Zinn, Jon: *Stark aus eigener Kraft. Das umfassende Meditationsprogramm für alle Lebenslagen.* O. W. Barth, Bern und München
Kabat-Zinn, Jon: *Gesund durch Meditation. Das große Buch der Selbstheilung.* O. W. Barth, Bern und München
Kalu, Rinpoche: *Den Pfad des Buddha gehen. Eine Einführung in die meditative Praxis des tibetischen Buddhismus.* O. W. Barth, Bern und München
Khema, Ayya: *Das Geheimnis von Leben und Tod.* O. W. Barth, Bern und München

Yoga, Qi Gong und andere Körper-Geist-Übungen

Avalon, Arthur: *Die Schlangenkraft. Die Entfaltung schöpferischer Kräfte im Menschen.* O. W. Barth, Bern und München
Shakti und Shakta. Lehre und Ritual der Tantras. O. W. Barth, Bern und München
Bender-Birch, Beryl: *Power Yoga. Fit für das Leben von heute.* Scherz, Bern-München
Chia, Mantak: *Tao Yoga.* Ansata, München
Tao Yoga der Liebe. Ansata, München
Tao Yoga. Eisenhemd Chi Kung. Ansata, München
Chia, Mantak und Maneewan: *Tao Yoga der inneren Alchemie 1.* Ansata, München
Tao Yoga der heilenden Liebe. Ansata, München
Griscom, Chris: *Der Quell des Lebens. Das praktische Körper-Energie-Programm.* Goldmann, München
Hackl, Monnica: *Hui Chun Gong. Die Verjüngungsübungen der chinesischen Kaiser.* Irisiana, München
Die Perle des Hui Chun Gong. Bewegungsübungen zur Verjüngung von Körper und Geist. Irisiana, München
Haich, Elisabeth: *Sexuelle Kraft und Yoga.* Drei Eichen, Hammelburg
Huang, Al: *Lebensschwung durch T'ai Chi.* O. W. Barth, Bern und München
Iyengar, B.K.S.: *Licht auf Yoga. Das grundlegende Lehrbuch des Hatha-Yoga.* O. W. Barth, Bern und München

Kirschner, M. J.: *Die Kunst, sich selbst zu verjüngen. Yoga für tätige Menschen.* Agis, Baden-Baden

Lysebeth, André van: *Durch Yoga zum eigenen Selbst.* O. W. Barth, Bern und München

Magyarosy, Maruscha: *Surya Namaskar. Das andere Fitness-Rezept.* Laredo, Chieming

Olvedi, Ulli: *Das stille Qi Gong. Vitalisierung und Harmonisierung der Lebenskräfte.* O. W. Barth, Bern und München

Schilling, Astrid und Hinterthür, Petra: *Qi Gong. Der fliegende Kranich.* Windpferd, Aitrang

Die Chakren und der Energiekörper

Bek, Lilla und Pullar, Philippa: *Chakra-Energie.* O. W. Barth, Bern und München

Bruyere, Rosalyn L.: *Chakras – Räder des Lichts.* Synthesis, Essen

Lambert, William P.: *Die Aura – dein Farbenkleid.* Laredo, Chieming

Mann, John und Short, Lar: *Der feinstoffliche Körper. Einweihung in Theorie und Praxis der Erweckung des Energiekörpers.* Windpferd, Aitrang

Monroe, Robert A.: *Der zweite Körper. Astral- und Seelenreisen in ferne Sphären der geistigen Welt.* Ansata, München

Sanella, Lee: *Kundalini-Erfahrung und die neuen Wissenschaften.* Synthesis, Essen

Sharamon, Shalila und Baginski, Bodo: *Das Chakra-Handbuch.* Windpferd, Aitrang

Tansley, David V.: *Die Aura des Menschen.* Synthesis, Essen

Körperarbeit, Atemtherapie und alternative Heilweisen

Chia, Mantak: *Tao Yoga des Heilens.* Ansata, München

Chia, Mantak und Maneewan: *Tao Yoga der heilenden Massage.* Ansata, München

Chopra, Deepak: *Die Körperseele – Grundlagen und praktische Übungen der Ayurveda-Medizin.* Lübbe, Bergisch-Gladbach

Coldwell, Leonard: *Die unbegrenzte Kraft des Unterbewußtseins. Das Erfolgsprogramm für ein erfülltes Leben.* Irisiana, München

Dychtwald, Ken: *KörperBewußtsein*. Synthesis, Essen

Fan Ya-Li: *Chinesische Heilmassage für Kinder*. Ansata, München

Griscom, Chris: *Der Körper als Ausdruck der Seele. Welche Botschaften und Lehren unser Körper enthält*. Goldmann, München

    Die Frequenz der Ekstase. Bewußtseinsentwicklung durch die Kraft des Lichts. Goldmann, München

Lysebeth, André van: *Die große Kraft des Atems. Richtig atmen lernen durch Yoga*. O. W. Barth, Bern und München

Nakamura, Takashi: *Das große Buch vom richtigen Atmen*. O. W. Barth, Bern und München

Orr, Leonard und Halbig, Konrad: *Bewußtes Atmen. Rebirthing*. Goldmann, München

    Für die Ewigkeit geboren. Die natürliche Überwindung der Sterblichkeit. Goldmann, München

Shealy, C. Norman und Myss, Caroline M.: *Auch Du kannst Dich heilen. Emotionale, psychische und geistige Faktoren, die Gesundheit und Heilung fördern*. Laredo, Chieming

Tulku, Tarthang: *Selbstheilung durch Entspannung. Die alte Heilkunde der Tibeter für den Westen nutzbar gemacht*. O. W. Barth, Bern und München

Die Fünf »Tibeter« für alle Sinne

Christian Salvesen
Der Sechste »Tibeter«
Das Geheimnis erfüllter Sexualität

192 Seiten, mit 21 Fotos und Illustrationen
ISBN 978-3-502-25054-8

Christian Salvesen zeigt in diesem Buch, worum
es beim Sechsten »Tibeter« wirklich geht: um den
bewussten, verantwortungsvollen Umgang mit
der eigenen Sexualität und um eine neue Dimension
gemeinsamen sinnlichen Erlebens.

Die Fünf »Tibeter«. Das Begleitbuch
Weiterentwicklung und gezielte Anwendung
der weltberühmten Übungen

272 Seiten, mit zahlreichen Abbildungen und
neuen Übungsprogrammen
ISBN 978-3-502-25052-4

Forscher, Ärzte und Wissenschaftsjournalisten haben
sich eingehend mit dem Fünf »Tibeter«-Phänomen
befasst und sind zu neuen Ergebnissen gelangt: Die
positive Wirkung der 5 Übungen lässt sich natur-
wissenschaftlich begründen und durch gezielte
Maßnahmen noch bedeutend steigern.

Die Fünf »Tibeter«

Maruscha Magyarosy
Das heilende JA.
Die Fünf »Tibeter«-Körpermeditation
Heilsame Übungen für Körper, Geist und Seele

144 Seiten, mit 18 Abbildungen und CD
ISBN 978-3-502-25053-1

Maruscha Magyarosy zeigt mit ihrem Fünf-Schritte-Programm, wie man durch regelmässige Praxis, verbunden mit entspannenden Meditationen und heilsamen Visualisationen, die wohltuende Wirkung der bewährten fünf Übungen noch intensivieren kann.

Maruscha Magyarosy
Intelligenz des Herzens
durch die Fünf »Tibeter«
Heilende Aussöhnung mit
unserem innersten Wesenskern

191 Seiten, mit zahlreichen Abbildungen
ISBN 978-3-502-25008-1

Die Yogalehrerin und Körpertherapeutin
Maruscha Magyarosy wurde durch ihre
persönliche Erfahrung mit den Fünf »Tibetern«
auf den Weg der Entdeckung der Intelligenz
und Weisheit des Herzens geführt.

Arnold H. Lanz
Die Fünf »Tibetern« für ein langes Leben
Der Königsweg zu mehr Lebensfreude und Vitalität

256 Seiten, mit 7 Abbildungen
ISBN 978-3-502-25051-7

Arnold H. Lanz, der bekannte Fünf »Tibeter«-Trainer,
stellt in diesem Buch sein Erfolgsprogramm
für ein langes Leben voll Energie und Vitalität vor:
Beweglich bleiben – auch in vorgerücktem Alter –,
indem man schon ersten Anzeichen nachlassender
Leistungsfähigkeit wirksam begegnet.

Arnold H. Lanz
**Fitness und Entspannung
mit den Fünf »Tibetern«**
Harmonisierende und aufbauende Übungen
für jedermann

192 Seiten, mit 36 Abbildungen
ISBN 978-3-502-25016-6

Arnold H. Lanz, Seminarleiter und Heilpraktiker,
bietet Menschen, die in ihrem Alltag bisher nur
wenig Gelegenheit zu Sport, Muße und Entspannung
fanden, durch dieses Buch Zugang zu Wellness
und Gesundheit.

Fredy Gruber
**Mehr Power und Erfolg
mit den Fünf »Tibetern«**
Dynamische Übungen zur Steigerung
von Energie und Leistungskraft

160 Seiten, mit zahlreichen Abbildungen
ISBN 978-3-502-25050-0

Fredy Gruber, Berater mit Schwerpunkt Traditionelle
Chinesische Medizin und Managementtrainer,
zeigt mit diesem Übungsprogramm, wie Sie die Fünf
»Tibeter« wirksam einsetzen können, um beruflichen
Erfolg und Fitness miteinander zu verbinden.

Brigitte Gillessen
Das Energieprogramm der Fünf »Tibeter«
Kraftvolle Übungen für Körper, Geist und Seele

160 Seiten, mit ca. 18 Abbildungen,
ISBN 978-3-502-25007-4

Die Heilpraktikerin Brigitte Gillessen erschließt
uns mit diesem Buch Mittel und Wege, um innere
Blockaden zu lösen und die Energie wieder frei
fließen zu lassen.

Wolfgang und Brigitte Gillessen (Hrsg.)
Erfahrungen mit den Fünf »Tibetern«
Neue Einblicke in das alte Geheimnis

180 Seiten, mit zahlreichen Abbildungen
ISBN 978-3-502-25399-0

Kompetente Yogalehrer, Therapeuten und
langjährige »Tibeter«-Übende berichten über
ihre Erfahrungen.

Dr. med. Ingfried Hobert
Gesundheit selbst gestalten
Wege der Selbstheilung und die
Fünf »Tibeter«. Ein Arzt berichtet

144 Seiten
ISBN 978-3-502-25411-9

Dr. Hobert – Schulmediziner und Naturheilkundler –
wendet die Fünf »Tibeter« seit Jahren zur unter-
stützenden Behandlung bei vielen Krankheiten und
bei der Rekonvaleszenz seiner Patienten mit großem
Erfolg an. Drei weitere Ärzte berichten von
ihren Erfahrungen.

Barbara Simonsohn
Die Fünf »Tibeter« mit Kindern
Gesundsein darf Spaß machen!

136 Seiten, mit zahlreichen Fotos und Illustrationen
ISBN 978-3-502-25262-7

Die Therapeutin und Seminarleiterin Simonsohn
beschreibt, wie Eltern und Kinder gemeinsam üben,
wie Kinder motiviert werden und wie Pädagogen
die Übungen in ihrer Praxis einsetzen können.

124

Die Fünf »Tibeter«

Devanando Weise / Jenny Frederiksen
Die Fünf »Tibeter«-Feinschmecker-Küche
Mit 144 Rezepten auf der Basis von Trennkost
und mehr

280 Seiten, mit zahlreichen Abbildungen
ISBN 978-3-502-25126-2

Die Gourmetköche Weise und Frederiksen haben
ein Buch über schmackhafte und bekömmliche
Vollwertkost geschrieben, das auf den Ernährungs-
vorschlägen Peter Kelders beruht.

Brigitte Streubel / Maruscha Magyarosy
Die Fünf »Tibeter« ... in Aktion
Die DVD und das Video zum Bestseller
von Peter Kelder

DVD: 24 Minuten, Stereo
ISBN 978-3-502-25000-5

VHS: 24 Minuten, Stereo
ISBN 978-3-502-25307-5

Die Yogalehrerin und Leiterin des Fünf-»Tibeter«-
Ausbildungsprogramms Maruscha Magyarosy zeigt
mit einer ihrer Übungsgruppen langsam und
deutlich die authentischen Fünf »Tibeter« und auch
die sechste Übung. Außerdem erklärt sie Schritt für
Schritt die richtige Atmung und führt Entlastungs-
übungen für den sensiblen Rücken vor.

Hannes Motal
Die Fünf »Tibeter« CD
Musik pur für Bewegung, Tanz und
kreative Entspannung

44 Minuten
ISBN 978-3-502-25103-3

Die acht Stücke des Wiener Musikers kreieren
einen dynamischen Klangraum zum Üben der
Fünf »Tibeter«. Aber auch wer sich nur entspannen oder tanzen will, wird
mit dem fließenden Rhythmus dieser Musik auf seine Kosten kommen.

Die Fünf »Tibeter«®

1. Stehen. Und drehen.

Zum Schluß: Hände zusammen
(auf Daumen schauen)
Kann auch als letzte
Übung praktiziert werden.

2. Liegen.
Kopf und Beine heben.

Ganzen Rücken am Boden!
Evtl. Hände unter Gesäß,
Knie zeitweise angewinkelt.

3. Knien.
Behutsam nach hinten beugen.

Zehen aufstellen. Immer erst Nacken strecken
und Kinn zur Brust. Abschluß: evtl. «Embryo».

4. Aufrecht sitzen.
Körper zu einer
«Brücke» anheben.

Immer erst Nacken strecken
und Kinn zur Brust.

5. Liegen, aufstützen.
Das Becken hochheben.

Gesäßmuskeln anspannen.
(Rutschfester Untergrund!)

Diese Merkkarte erinnert Sie an das tiefe Atmen und das leichte Üben.
Sie will Ihnen den Anfang erleichtern und ersetzt keinesfalls die aus-
führlichen Anleitungen in Peter Kelders Buch *Die Fünf »Tibeter«*. –
Geben Sie sich Spiel-Raum und genügend Zeit, um sich Ihr Energie-
programm solide aufzubauen. Zu Anfang jede Übung nur drei Mal.
Vor den Erfolg haben die Götter die Achtsamkeit gesetzt...

Willkommen –
in *Ihrem* «Himalaja-Klub»!

Sie haben *Die Fünf «Tibeter»* mit Interesse gelesen und für sich entdeckt. Sie haben inzwischen Erfahrungen mit diesen Übungsriten
gemacht. Sie dachten auch schon daran, wie es wäre, mit anderen
Entdeckern und Entdeckerinnen *Erfahrungen auszutauschen.* Oder
die Übungen in einem Kreis mit weiteren Interessierten auch
gemeinsam zu praktizieren. Es macht Ihnen Freude zu teilen.

Dann geben Sie Ihr «Geheimnis» weiter – organisieren Sie jetzt
Ihre Übungsrunde, gründen Sie dort, wo Sie leben, ganz zwanglos
einen «Himalaja-Klub». Sie haben viel zu geben.

Sie werden überrascht sein, wie viele nur auf Ihren Anstoß warten.
Hören Sie sich um – in Ihrem Bekanntenkreis, Ihrer Nachbar-
schaft, im Sportverein, am Arbeitsplatz. Sagen Sie es anderen weiter, die es wieder anderen weitersagen...

Oder geben Sie zum Beispiel folgende Kleinanzeige auf:

Wollen Sie spüren, welche Energie in Ihnen steckt? Möchten
Sie jünger werden? Oder sich einfach richtig gesund fühlen? Wei-
tere Interessierte für «Himalaja-Klub» in .... gesucht. Regel-
mäßige Treffen zu einfachen, wirkungsvollen Übungen nach
Peter Kelder: Die Fünf «Tibeter». Sie werden über sich staunen!
Zuschriften Chiffre...

Mögen die aufgezeigten Möglichkeiten Ihr Leben reicher machen
und Sie Ihrem Lebensziel ein schönes Stück näher bringen.

Ihr Scherz Verlag

Scherz Verlag

c/o S. Fischer Verlage

Verkauf

Hedderichstraße 114

60596 Frankfurt

Absender:

Name:

Vorname:

Straße:

PLZ, Ort:

Tätigkeit:

Alter:

Lieferung über Buchhandlung:

Meine Bestellung:

——	Die Fünf »Tibeter« in Aktion …, Video	€ 22,50*
——	Die Fünf »Tibeter«-CD	€ 18,90*

* = empfohlener Preis

Ich interessiere mich für:

☐ das Gesamtverzeichnis des Verlages

☐ Seminare über *Die Fünf »Tibeter«* und erbitte die Liste der Kursleiter

☐ das »Tibeter«-Ausbildungsprogramm